LE MANAGEMENT DE LA RÉUSSITE

FÉLIN

ISBN 2-7472-0032-9

Editions ESKA - 12, rue du Quatre-Septembre 75002 Paris.
Tél. : 01 42 86 55 73 - Fax : 01 42 60 45 35

LE MANAGEMENT DE LA RÉUSSITE

FÉLIN

Christian Saint-Etienne
et Philippe Van Den Bulke

Préfaces de Pierre Bellon et Luc Doublet

ÉDITIONS ESKA

CHEZ LE MÊME ÉDITEUR

DANS LA COLLECTION « Essais »

– Le swiss way of management (ou les évidences cachées des entreprises suisses) - A. BERGMANN
– Le choc des cultures - P. DEVAL
– Le management de la réussite - Félin - C. SAINT-ETIENNE et P. VAN DEN BULKE

DANS LA COLLECTION « Garf Management »

– La participation dans l'entreprise, consensus ou contrainte ? - P. CHASKIEL

DANS LA COLLECTION « Management »

– Contrepensées - A. BERGMANN
– Encadrement et comportement 2e édition - A. BERGMANN et B. UWAMUNGU

DANS LA COLLECTION « Manuel de gestion ESKA »

– Gestion stratégie (le développement du projet d'entreprendre) - J.-P. BRÉCHET

DANS LA COLLECTION « Psychologie industrielle et organisationnelle »

– Le social enjeu de l'entreprise - Y. CHAMUSSY et C. PLISSON

DANS LA COLLECTION « Sciences de l'administration »

– L'individu dans l'organisation (les dimensions oubliées) - J.-F. CHANLAT

DANS LA COLLECTION « Sciences de l'organisation »

– Pouvoirs et valeurs dans l'entreprise - M. JUFFÉ
– Leaders, fous et imposteurs - M. KETS DE VRIES
– Le paradoxe d'Icare (comment les grandes entreprises se tuent à réussir) - D. MILLER

DANS LA COLLECTION « Théorie et pratique du management »

Dans la série « Méthode quantitatives »

– Comptabilité générale et analyse comptable - Y. FOOS et M.-P. VERMOYAL
– Outils statistiques - M.-P GRANDJAQUOT

Dans la série « Le métier de cadre »

– Le métier de cadre au quotidien - C. BOURION
– Méthodes de communication interpersonnelle - S. GEHIN
– Petit traité de management de proximité - J.-N. PFAFF

Dans la série « L'entreprise de soi »

– La logique émotionnelle - C. BOURION

Dans la série «Métiers internationaux»

– Pratique de la négociation internationale - G. DELOFFRE

AUTRES TITRES

– Contemporary developments in human resource management - I. BEARDWELL
– Sciences sociales et management - J. -F CHANLAT
– Cartes cognitives et organisations - P. COSSETTE
– Management des services - F. DUPONT
– Contemporary developments in technology transfer - P. GOUGEAN et J. GUPTA
– L'Ère du Facilities Management (l'informatique déléguée) - A. LAIDET et M. TEXIER
– De la colère du manager au management de la colère - D. MICHALON et L. ROCHE
– Éthiques des affaires et de l'entreprise - F. SEIDEL
– Les annales de l'école de Paris du management - 5 volumes

Sommaire

Préface

Comme militant patronal depuis quarante ans, j'ai observé beaucoup d'entreprises de toutes tailles et j'ai acquis la conviction que le « développement d'une entreprise était directement proportionnel à l'ambition, à la volonté, au courage et à la compétence de celui ou de ceux qui la dirigent ».

D'où l'idée de faire progresser les entreprises françaises par le progrès des dirigeants ; c'est dans ce but, qu'avec quelques pionniers, nous avons créé en 1987 l'Association Progrès du Management. Aujourd'hui, plus de 3 000 dirigeants viennent chaque mois, au sein de 166 clubs, se perfectionner en échangeant leurs expériences.

Cher Christian Saint-Etienne, beaucoup d'entre nous ont lu tes ouvrages ; personnellement, ils m'ont aidé à mieux comprendre l'environnement politique, économique, social et financier. Cher Philippe Van den Bulke, ton livre m'a appris qu'un dirigeant devait adapter son comportement à la situation à laquelle il avait à faire face et devait être, suivant le cas, dirigiste, délégatif, consensuel, observatif, facilitant et parfois même psychiatre.

Aujourd'hui, vous avez uni vos efforts pour rédiger une œuvre commune qui va être très utile à tous les chefs d'entreprise. Merci.

J'ai noté dans votre ouvrage quelques phrases clés :

- « *Dans la nouvelle économie*, il faut partager les problèmes plutôt que des solutions prétendues géniales et élaborées par quelques uns ; des problèmes posés par le client autour duquel doit se reconstruire l'organisation de l'entreprise ».

- « Alors que tout le monde parle de changement et de rupture, il apparaît pertinent de s'interroger sur la notion de permanence, sur ce qui dure... Le changement est devenu une fin en soi... Et pourtant l'entreprise ferait mieux de se préoccuper de ce qui n'a pas changé depuis des siècles autour de cette question clé : y a-t-il concordance entre l'offre proposée et ce que recherchent les clients solvables ? Voilà une question simple qui doit mobiliser toutes les ressources d'énergie et d'imagination de l'entreprise ».

Par ailleurs, vous proposez un concept pratique de management avec quelques exemples d'application, le modèle du F.E.L.I.N.

Vous expliquez : « F comme principe Féminin. Par opposition au principe féminin, les entreprises ont jusqu'à présent été dirigées selon un principe exclusivement masculin, alliant la raison, la force, la fermeté, la rigidité et l'esprit de compétition. Le monde complexe dans lequel nous sommes favorise des valeurs qui correspondent aux principes féminins qui sont l'intuition, la douceur, la souplesse, la flexibilité et la coopération. C'est le principe féminin qui conduit les salariés à s'identifier à l'entreprise, à partager avec elle ses succès comme ses défaites. Le principe masculin est en effet trop égocentrique et tourné vers la réussite personnelle ».

Plus loin, vous écrivez : « Les femmes ont largement leur place dans l'entreprise comme partout ailleurs. Elles sont capables de lui apporter beaucoup. Très souvent, elles le font comme le font les hommes, avec les mêmes avantages et les mêmes défauts. Il y a cependant statistiquement plus de chance pour qu'une femme s'inscrive dans une relation plus tournée vers la réussite collective qu'individuelle ».

Je partage totalement vos idées ; je crois que le principe féminin sera l'une des tendances majeures du 21e siècle. A ce propos, la France est en retard par rapport à la plupart des autres pays développés. La promotion des femmes dans l'entreprise, dans les organisations professionnelles, dans les syndicats de salariés est insuffisante et le partage du pouvoir, que ce soit dans les conseils d'administration ou les équipes de direction est presque inexistant. Nous nous privons de ressources humaines essentielles à la pérennité de nos entreprises.

« **Le management de la réussite pérenne - Félin** » sera utile à mes collaborateurs et à moi-même dans la conduite de Sodexho. J'espère, cher lecteur, qu'il en sera de même pour vous et votre entreprise.

Pierre Bellon

Président Fondateur de Sodexho

Préface

Etant connu pour la réactivité de mon entreprise aux défis les plus difficiles, j'ai d'abord pensé que je n'étais pas directement concerné par une réflexion sur le *middle management*. Puis je me suis souvenu que lorsque j'avais travaillé à la réorganisation de mon entreprise avec l'un des deux auteurs (Philippe Van Den Bulke), le point clé des transformations introduites avait été la complète redéfinition du rôle du *middle management*.

Le *middle management* de l'entreprise hyper-réactive doit être capable d'apporter des solutions en temps réel à des problèmes émergents par responsabilisation absolue de tous les acteurs. Chaque acteur est mis en situation de prendre des décisions immédiates pour ce qui le concerne, seul le résultat des décisions étant discuté.

Cette transformation radicale de la courroie de transmission en atelier artisanal est de nature à changer toutes les relations entre les individus au sein des organisations, mais aussi dans la vie courante.

« Se prendre en charge en prenant en charge les autres pour pouvoir soi-même être pris en charge », alors que l'information disponible ne vaut que par la qualité de celui qui l'interprète, est l'axe central de transformation des sociétés modernes comme des individus qui les composent.

Ce livre analyse et donne des solutions applicables pour identifier les problèmes, formaliser l'appréhension de ces problèmes et dépasser les contradictions du *management* de l'entreprise plongée dans la *nouvelle économie*. Au-delà d'une lecture agréable et de bonnes solutions, il permet d'améliorer la vie de tous.

Luc Doublet

PDG de la société Doublet

Avant-propos

Le passage de l'ancienne à la *nouvelle économie* se traduit par des ruptures dans les pratiques du *management* qui vont bouleverser la vie de l'entreprise dans les années 2000.

Notre objectif est d'analyser ces ruptures et d'expliquer les évolutions nécessaires du *top* et du *middle management* dans un livre bref et accessible. De plus, chaque chapitre peut être abordé directement après une interruption éventuelle d'attention.

Mais pour être court et sans « chichis », ce livre n'en prétend pas moins être une réflexion « coup de poing » et donner une méthode simple pour acquérir quelques réflexes de *management* adaptés à la *nouvelle économie*.

Bonne lecture et bonne mise en œuvre !

Paris, le 4 octobre 2000

Christian Saint-Etienne
Philippe Van Den Bulke

Remerciements

Afin de déterminer les caractéristiques constitutives de la réussite tournée vers l'œuvre pérenne (voir chapitre 5), nous avons décidé d'interroger des personnes qui sont selon nous dans un parcours de réussite pérenne. Nous les avons choisies dans des domaines aussi variés que possible : la politique, le sport, la culture, la littérature, l'humanitaire et le monde de l'entreprise.

De nos rencontres, ont émergé cinq caractéristiques communes à la réussite pérenne. Nous les livrons sous forme d'éléments identifiés et séparés sans utiliser dans le texte des propos attribués à tel ou tel. Deux raisons à cela : certains de ces propos, ayant trait à la réussite ou à l'échec de personnalités connues, étaient difficilement publiables sans un processus complexe d'autorisations et probablement de corrections imposées ; ceux qui réussissent identifient plus souvent les efforts ou la chance ayant conduit à la réussite que la méthode utilisée. Cette méthode se lit dans la répétition des témoignages.

Si ce livre s'abstient de révéler des confidences « croustillantes », nous n'en sommes pas moins débiteurs envers les personnes rencontrées pour des conversations riches et chaleureuses.

Remercions les nommément puisque nous ne les citons plus ensuite :

Bertrand Collomb (Président de Lafarge et de l'Institut de l'Entreprise), Régine Deforges (écrivain), Brigitte de Gastines (Présidente de SVP et de l'Association pour le Progrès du Management),

Sylvain Kern (Cité de la réussite), Maurice Lévy (Président de Publicis), René Monory (Homme d'Etat, Créateur du Futuroscope), Gérard Mulliez (Créateur d'Auchan), Loïck Péron (navigateur), Christian Tytgat (Créateur de la Coopérative du Capital-Risque d'Autonomie et de la Solidarité).

Les auteurs

Christian Saint-Etienne
Conseil Stratégique Européen SA

Christian Saint-Etienne a créé Conseil Stratégique Européen SA, un Cabinet de Conseil spécialisé en analyse stratégique des marchés (notamment pour les procès en abus de position dominante et pour les entreprises de la *nouvelle économie*) et conseil stratégique pour les entreprises patrimoniales.
Christian Saint-Etienne est Professeur des Universités, Docteur d'Etat ès-sciences économiques et titulaire de deux *Master* en sciences économiques (*London School of Economics* et *Carnegie Mellon University*). Il est l'auteur de quinze livres dont Génération sacrifiée : *les 20-45 ans* (Plon, 1993), *L'Etat mensonger* (Editions Lattès, 1996), *L'ambition de la liberté* (Economica, 1998) et *Scènes de vie en 2024* (Editions Lattès, 2000). Il a obtenu pour ses ouvrages deux prix de l'Académie des Sciences morales et politiques, deux fois le Prix du *Meilleur livre d'économie financière*, ainsi que le prix de la meilleure thèse soutenue en 1981 pour son Doctorat d'Etat.

Philippe Van Den Bulke
Homme Ideph

Philippe Van Den Bulke est Président de Homme pour « *une dynamique d'acteurs dans l'entreprise* », un Cabinet de Conseil en Management, Formation et Recrutement implanté à Lille, Paris et Marseille.
Philippe Van Den Bulke est Docteur en médecine, ancien interne des Hôpitaux de Paris, Docteur en Anthropologie et Diplômé de l'Institut de Recherche Mentale de Palo-Alto en Californie. Il est l'auteur d'un ouvrage : *Le management relationnel* (Dunod, 1999, en col).

Le management de la réussite pérenne

Introduction

Quel est ce malaise lié à la « nouvelle économie » ? Comment anticiper les ruptures, les préparer, les éviter ou les contrôler ?

Comment préparer l'insertion de l'entreprise dans la chaîne de valeur ajoutée de la *nouvelle économie*, dont on ne devine que les prémices ?

Que veulent les acteurs de l'entreprise et comment faire émerger des comportements nouveaux au sein de l'entreprise ?

Quel est le rôle du dirigeant de l'entreprise ? Comment conduire l'entreprise dans la *nouvelle économie* ? Comment aborder la relation actionnaire-dirigeant quand l'actionnaire traite le dirigeant comme un pion ?

Quels sont les rôles respectifs du *top* et du *middle management* dans l'entreprise plongée dans la *nouvelle économie* ? (*Top management* = cadres dirigeants ; *middle management* = cadres intermédiaires et maîtrise).

Autant de questions qui appellent des réponses ordonnées par une grille d'analyse adaptée.

Le passage de l'*ancienne* à la *nouvelle économie* n'est pas seulement la conséquence de la généralisation de l'*Internet*, mais plus largement l'effet de la reconfiguration des relations entre l'offre et la demande de la plupart des produits et services : c'est la **Troisième révolution économique en marche !**

Cette mutation résulte des nouvelles attentes des consommateurs et des nouveaux modes de production adaptés aux exigences des clients. Elle bouleverse les rôles respectifs du *top* et du *middle management* et oblige l'entreprise à intégrer la nécessaire *Troisième révolution managériale* ou à disparaître, probablement à court terme.

L'objet du livre est d'expliquer les ruptures en cours et d'esquisser les mutations nécessaires des rôles du *top*, du *middle management* et donc du chef d'entreprise.

En s'appuyant sur les caractéristiques de la réussite pérenne au niveau individuel, on peut proposer une démarche de réussite durable adaptée à l'entreprise immergée dans la *nouvelle économie*.

Chapitre 1 :
Nouvelle économie
et nouveaux rapports au travail

Le terme de *nouvelle économie* donne lieu à tant de fantasmes, et déjà à tant de controverses, qu'il est nécessaire de préciser les contours de la révolution technologique et organisationnelle en cours. On pourra ensuite proposer un certain nombre de concepts permettant de clarifier les débats futurs.

De quoi parle-t-on ?

On peut diverger sur les définitions et les caractérisations de la *nouvelle économie*, prise au sens d'économie des nouvelles technologies de l'information et des communications (TIC), mais un certain consensus émerge pour présenter la *nouvelle économie* comme le monde de la flexibilité, de la rapidité et de l'engagement sur des projets risqués et incertains dont la réussite n'est assurée que pour le premier ou les deux ou trois acteurs qui vont séduire le maximum de clients dans le minimum de temps afin de fixer les standards, ou de contribuer à les fixer, et bénéficier ainsi des effets de réseaux.

Le monde du travail est bouleversé pour ceux qui développent les produits et services de la *nouvelle économie* et pour ceux qui les utilisent. Mais c'est d'abord dans le monde du développement des TIC que se fait sentir à plein cet effet *nouvelle économie* associé au principe du « premier arrivé au but gagne tout » (Principe du PABUGATO) : on imagine facilement tout ce qui change en termes d'implication, d'autonomie, de responsabilisation et de modes de rémunération des partenaires au sein du projet, qu'ils soient actionnaires, salariés, salariés-actionnaires, etc.

Mais on peut concevoir la *nouvelle économie* très au-delà du secteur des TIC, comme l'entrée de l'ensemble de l'économie dans le monde des rendements croissants associés au Système Technique (ST) moderne caractérisé par la synergie entre microélectronique, automatisation et informatique. La généralisation progressive d'*Internet*, en permettant l'informatisation de l'échange entre entreprises et avec les consommateurs, après celle de la production et de la gestion au sein des entreprises, accélère l'avènement du ST moderne. Insistons sur cette mutation : l'informatique a révolutionné la production, puis la gestion des entreprises au cours des quarante dernières années, mais elle agissait peu sur l'*échange ouvert* entre acteurs économiques, par opposition à l'*échange fermé* au sein de relations de sous-traitance. Aujourd'hui, avec l'*Internet*, toutes les relations d'*échange ouvert* sont potentiellement informatisables. Ce qui démultiplie non seulement les progrès de productivité mais aussi les mutations de marché associées au ST moderne qui est lui-même en voie de mutation sous l'effet de l'informatisation de l'échange.

On sortirait ainsi de la *production mécanisée* associée aux révolutions industrielles des années 1780-1860, marquées par la prééminence du Royaume-Uni, 1860-1920, marquées par la prééminence américaine, et 1950-1970, marquées par l'apogée de la mécanisation et le rééquilibrage économique entre les Etats-Unis, l'Europe et le Japon. Et on entrerait dans le monde de la *production automatisée* qui se déploierait depuis le milieu des années 1970 dans le monde industriel développé pour transformer le système productif global au début des années 2000 (Michel Volle : *E-conomie*, Economica, Paris, 2000). Dans ce cas, la révolution des TIC s'inscrit dans une révolution industrielle globale qu'elle accélère, le monde dit global intégrant en réalité les 20 % de la population qui assurent 80 % de la production de la planète. Cette révolution industrielle globale est concomitante, avec des causalités croisées, d'un basculement organisationnel qui favorise les structures décentralisées et les mécanismes de marché qui font l'usage le plus intense de l'information (Jean-Jacques Rosa : *Le Second XXe siècle*, Grasset, Paris, 2000).

Il est clair que la révolution technologique en cours ne s'analyse pas de la même façon selon qu'elle est jugée avant tout sectorielle, en touchant notamment les TIC, ou trans-sectorielle en irriguant toute l'économie. Ces deux visions de la révolution technologique en cours n'ont pas les mêmes conséquences sur le monde du travail en termes d'impact et de délais de transmission. Nous distinguerons ces deux acceptions en utilisant les termes de *nouvelle économie* -TIC (NETIC) ou *nouvelle économie* -ST (NEST).

Ainsi, en prenant le risque d'être didactique, la **NETIC** concerne avant tout un secteur industriel (les TIC), un domaine de l'activité humaine (le recueil et le traitement de l'information) et un aspect de la vie économique (l'informatisation de l'échange, particulièrement mais pas seulement, l'échange de l'information).

La **NEST**, qui a commencé environ deux décennies avant la NETIC, et qui est fortement accélérée par la NETIC depuis le milieu des années 1990 aux Etats-Unis et depuis 1999-2000 en Europe et dans le reste du monde hyper-développé, concernera, probablement à partir des années 2004-2005, tous les secteurs industriels, tous les domaines de l'activité humaine (de l'éducation aux loisirs en passant par la vie professionnelle) et tous les aspects de la vie économique (la production, l'échange et l'accumulation des biens et services, réels et financiers).

Les datations proposées concernent les évolutions moyennes et non le début ou la fin d'une évolution : par exemple *Internet* était déjà un phénomène technique significatif aux Etats-Unis au milieu des années 1980 ; *Internet* n'est devenu un phénomène économique majeur aux Etats-Unis, au moins dans le secteur des TIC, qu'au milieu des années 1990.

Par ailleurs, l'analyse des bouleversements associés à la *nouvelle économie* -TIC ou ST va évidemment différer si l'on est aux Etats-Unis, qui sont à la pointe de ces transformations techniques et qui pratiquent depuis toujours la flexibilité dans le monde du travail, ou en Europe qui est temporairement (?) à la traîne de ces transformations et qui rejette une trop grande flexibilité du monde du travail depuis les combats sociaux du 19e siècle. Aux Etats-Unis, la flexibilité et la responsabilisation dans une économie en fusion sont « excitantes ». En Europe, ces changements n'excitent qu'une minorité et effraient une écrasante majorité des acteurs économiques et sociaux. Or les impacts de la NETIC ou de la NEST dépendront de ces attitudes.

Enfin, le moment au cours duquel s'inscrit l'analyse, particulièrement en Europe, est décisif. Dans la stagnation économique du milieu des années 1990, la NETIC n'était qu'un motif supplémentaire d'inquiétude relativement diffuse par rapport aux doutes existentiels associés à l'euro-sclérose de l'époque. Avec le redémarrage de l'activité européenne en 1997-1998 sont venues des préoccupations plus ciblées sur le retard technologique de l'Europe par rapport aux Etats-Unis. En 1999, le monde économique européen a voulu « monter dans le train » des TIC car « tout était beau ». Avec les remous boursiers de l'an 2000, d'une part, et l'apparition de pénuries de main d'œuvre, d'autre part, la prise en compte de la NETIC est devenue plus professionnelle et la prise en compte, encore partielle, de la NEST a paru moins inquiétante.

Ce sont tous ces *a priori* et attitudes, implicites ou explicites, que charrient les acteurs ou ceux qui réfléchissent à l'impact de la *nouvelle économie* sur le monde du travail. Il serait contre-productif de les ignorer.

C'est ainsi que, si l'on s'interroge sur les nouveaux rapports au travail dans le contexte de la NETIC, en 2001 et en Europe, on sera relativement serein sur les effets macroéconomiques de la NETIC qui concerne 4 % à 6 % du PIB selon les pays de l'Union européenne (contre un peu plus de 8 % du PIB aux Etats-Unis), et l'on dissertera plus volontiers sur les rapports entre les salariés de la NETIC et ceux du reste de l'économie. Les différences de statuts entre salariés de la NETIC bénéficiant de plus de responsabilités et d'intéressement aux résultats, sous forme notamment de *stock-options*, et salariés du reste de l'économie bénéficiant de contrats de travail plus traditionnels, intéresseront particulièrement les chefs d'entreprise, DRH, et économistes. Mais la forte baisse des valorisations des *start-up* de la NETIC au printemps 2000 et les premières faillites retentissantes au cours de l'été 2000 ont éteint l'essentiel des jalousies de l'automne-hiver 1999-2000, de sorte qu'il n'y a temporairement plus de problèmes économiques et politiques globaux liés à ces écarts de statuts. Certes, tel journal peut titrer sur la « France des *stock-options* », notre pays apparaissant aujourd'hui comme « la deuxième patrie, après les Etats-Unis, de ces systèmes de super-bonus indexés sur le cours de Bourse. (...) Les équipes à la tête des groupes français sont les mieux pourvues en *stock-options* de toute l'Europe » (L'Expansion, 14 septembre 2000). Il n'aura justement échappé à personne que, pour des raisons essentiellement fiscales, il s'agit ici de *stock-options* de responsables de grands groupes, qu'ils ont au mieux aidé à se développer et rarement à créer, ce qui n'a rien à voir avec les *stock-options* données aux « salariés-risqueurs » de *start-up*, qui auront tout perdu hormis l'expérience acquise si la *start-up* « se plante ».

Si l'on se tourne à présent vers l'avenir, il faut opérer une autre distinction entre les activités de la *nouvelle économie*, liées à l'informatisation de l'échange, touchant les consommateurs (*Business to Consumer* : B2C) ou celles concernant le système de production (*Business to Business* : B2B). Alors que les activités B2B se développent rapidement dans le cadre des chaînes de valeur existantes, le B2C, qui semblait, en 1999, devoir révolutionner la vie courante, apparaît aujourd'hui comme devant produire ses effets de manière infiniment plus progressive.

En ce qui concerne le B2B, notons que la plus importante plate-forme de marché électronique, Covisint, qui regroupe General Motors, Ford, DaimlerChrysler, Renault-Nissan et l'équipementier américain Visteon, est opérationnelle depuis octobre 2000. Covisint fonctionnera comme un forum virtuel qui permettra à l'ensemble des acteurs de la filière automobile d'échanger des informations pour concevoir des produits et réaliser leurs approvisionnements. Le montant total des achats réalisés sur Covisint devrait dépasser 300 milliards de dollars lorsque le système sera à pleine charge. Les partenaires de la plate-forme de marché électronique prévoient d'économiser 1 000 à 2 000 francs par automobile à l'horizon 2004, mais Steve Girsky, analyste chez Morgan Stanley estime que le coût de production de chaque automobile pourrait baisser de 15 000 francs d'ici trois à dix ans. On peut inclure dans le B2B de l'automobile, non seulement la création de plates-formes d'achat, mais aussi l'informatisation totale de la commande du client qui, grâce à *Internet*, sera répercutée en temps réel sur les fournisseurs du constructeur enregistrant la commande. Ainsi, c'est toute la chaîne de production et d'approvisionnement qui sera actionnée simultanément, en cohérence et en temps réel, pour livrer rapidement au client exactement le véhicule souhaité par le client final. La filière automobile fonctionnera dans trois ans comme fonctionne le fabricant américain d'ordinateurs Dell qui a déjà mis en œuvre ce système d'intégration totale de l'approvisionnement et de la fabrication de micro-ordinateurs. Selon Gartner Group, le nombre de plates-formes de marché devrait passer de 300 en 1999 à 10 000 en 2003 et plus de la moitié des échanges inter-industriels seront informatisés à cette date.

La baisse des prix des matériels informatiques, de l'ordre de 20 % par an depuis dix ans, alors que la puissance de traitement des microprocesseurs double tous les dix-huit mois depuis un quart de siècle, bouleverse les secteurs des TIC et des machines automatisées. Nous franchissons depuis 1999-2000 tous les seuils de changement qui transforment des progrès micro-économiques observables depuis dix ans en une mutation macro-économique qui sera effective sous trois ans.

On fera, dans les pages qui suivent, l'hypothèse que le B2B va se généraliser dans les trois années à venir, notamment dans les relations de sous-traitance, alors que le B2C ne produira des effets significatifs que dans quelques domaines précis, très liés aux TIC, au cours de cette période. A partir de 2004, on peut concevoir un boom du B2C transformant éventuellement tous les systèmes de distribution.

En ce qui concerne le Système Technique (ST) moderne, caractérisé par la fertilisation croisée entre microélectronique, automatisation et informatique, qui se déploie depuis le milieu des années 1970, mais ne s'installe au centre du système de production de toutes les entreprises que depuis la fin des années 1990 sous l'effet de l'informatisation de l'échange, nous ferons l'hypothèse que sa généralisation au cours des trois prochaines années va principalement toucher les activités B2B et qu'il ne touchera fondamentalement les activités B2C qu'à partir de 2003-2004.

Ces hypothèses simplificatrices nous conduisent donc à distinguer deux périodes :

- Après le boom des TIC, et notamment de l'*Internet*, aux Etats-Unis au cours des années 1990, l'Europe et les Etats-Unis sont entrés, en 2000 et jusque vers 2003, dans une période de domination des applications B2B en liaison avec l'accélération du déploiement du ST moderne, elle-même liée à la généralisation de l'*Internet*. Dans cette période transitoire, la NETIC et la NEST, qui ne se recoupent que dans quelques secteurs d'activité, touchent principalement le système de production. De plus, jusqu'en 2003, la conjoncture européenne portée par la nécessité de rattraper le retard pris sur les Etats-Unis en termes d'investissement productif, devrait, sauf accident, rester bonne : la croissance moyenne de la zone euro devrait être de l'ordre de 2,5 % l'an, voire tendre vers 3 %, l'inflation modérée, le plein emploi des travailleurs qualifiés assuré, la situation des finances publiques en amélioration. Le consommateur moyen, qui le souhaite, pourra continuer d'ignorer *Internet* et même la NETIC ou se contenter d'avoir un *e-mail*.
- A partir de 2004, à un an près, la NEST prendra le pas sur la NETIC, qui ne sera plus qu'un élément de la NEST. La généralisation des applications B2C, alors que la production automatisée et l'échange informatisée seront

devenus dominants, fera basculer progressivement l'essentiel de l'économie du monde industriel avancé dans l'*économie de la différenciation*. Le basculement de 2004 touchera presque simultanément l'Europe et les Etats-Unis, quitte à ce que les Etats-Unis aient encore, selon les secteurs, une avance technique de un à trois ans sur l'Europe, contre trois à cinq ans aujourd'hui. Le consommateur actif sera alors défini, aux Etats-Unis et en Europe, par son numéro de sécurité sociale et par son adresse *Internet*. Les consommateurs intégrés à la NEST représenteront peut-être la moitié des ménages américains et européens et disposeront des quatre-cinquièmes du pouvoir d'achat marchand de ces deux pays. Le revenu national des Etats-Unis et de l'Union européenne atteindra toujours la moitié du revenu mondial marchand. Peut-être la moitié de la population des Etats-Unis et de l'Europe, ne disposant que d'un cinquième du pouvoir d'achat américain et européen, sera laissée en marge de la NEST, littéralement hors du « nid » de cette modernité hyper-technique. Avec les problèmes politiques associés.

Notons, à propos du retard de développement de la *nouvelle économie* en Europe par rapport aux Etats-Unis, que si nous faisons l'hypothèse que le basculement dans l'*économie de la différenciation* se fera presque simultanément en Europe et aux Etats-Unis à partir de 2004, quitte à ce que les Etats-Unis aient encore une avance technique significative, certains observateurs pensent que la *nouvelle économie* n'arrivera pas à décoller en Europe compte tenu de l'insuffisance de l'investissement et des rigidités du marché du travail. Ils notent que l'investissement annuel dans les nouvelles technologies représentent 2 à 3 % du PIB en Europe contre 6 % aux Etats-Unis, depuis cinq ans, et qu'il n'y a pas de signes apparents d'une accélération des gains de productivité du travail en Europe alors que le rythme de ces gains a doublé aux Etats-Unis (le rythme annuel de progression dans le secteur marchand non-agricole est passé de 1,4 % en 1976-1995 à 2,9 % en 1996-2000). Toutefois, même aux Etats-Unis, la productivité totale des facteurs (travail et capital) a beaucoup moins progressé jusqu'ici. Selon Robert Gordon, Professeur à la Northwestern University, l'essentiel du progrès de la productivité totale des facteurs en dehors du secteur informatique est uniquement imputable au cycle économique américain. Si l'on ne corrige pas l'effet du cycle, le rythme annuel de croissance de la productivité totale des facteurs aux Etats-Unis, selon une étude de l'OCDE, est passé de 0,5 % en 1985-1995 à 1,5 % en 1996-2000.

S'il y a bien un boom de la NETIC aux Etats-Unis par rapport à l'Europe, le retard européen dans le développement de la NEST est plus faible : c'est Airbus qui gêne Boeing depuis cinq ans, c'est Daimler qui rachète Chrysler et c'est Renault qui rachète Nissan (pour élargir au Japon), pas l'inverse. Et lorsque DaimlerChrysler et Renault-Nissan rejoignent Covisint, ils vont bien bénéficier de la NETIC américaine. Même si Cisco et Intel sont les leaders de la fabrication des composants des TIC, Nokia, Alcatel ou Ericsson sont leaders de la téléphonie mobile (s'il est exact que Nokia ou Alcatel se développent particulièrement aux Etats-Unis, on peut aussi soutenir qu'ils pourront ainsi rapatrier leur savoir-faire en Europe). L'Europe n'a pas l'équivalent de Microsoft, mais son industrie du logiciel est forte. Au total, l'avance américaine en termes de développement de la NETIC est certaine en 2000, mais rien ne permet de penser que l'Europe ne pourra pas prendre le virage attendu pour la NEST en 2004.

Concurrence micro-oligopolistique différenciée

Qu'est-ce que l'*économie de la différenciation* ? La NEST, qui devrait se généraliser tout au long des années 2000, serait caractérisée par une période, probablement transitoire mais durant néanmoins plusieurs années, au cours de laquelle les entreprises, ou un nombre significatif d'entre elles, font et feront face à une fonction de production à rendement croissant. La fonction de production est à rendement croissant lorsque la production augmente de façon plus que proportionnelle avec les quantités utilisées de facteurs de production. Le coût moyen de production diminue lorsque le rendement est croissant.

On se trouve notamment dans un contexte de rendement croissant lorsque l'essentiel du coût de production est un coût fixe que l'on peut amortir sur un volume de ventes de plus en plus grand. Le coût marginal de production diminue plus ou moins fortement avec les effets d'apprentissage alors que baisse fortement le coût moyen, puis il peut remonter jusqu'au point où le coût moyen commence lui-même à augmenter. Selon la nature de la demande et en fonction des coûts de transport et de distribution, on est parfois en monopole ou en oligopole concurrentiel.

La NETIC est fortement marquée par les coûts fixes de développement des produits et services comme les logiciels, les équipements fixes pour les téléphones mobiles, etc. La NEST prend la forme d'unités de production assez compactes et très capitalistiques, totalement automatisées, capables de varier presque indéfiniment les séries, pouvant travailler en intégration avec certains processus de production plus larges ou en réseaux avec d'autres processus de production.

C'est la différenciation des produits et services qui évite le monopole dans un contexte de rendements croissants. Et c'est justement la flexibilité de la NEST qui donne l'infinie diversité des productions. PSA Peugeot Citroën a deux usines de production de moteurs : celle située près de Metz a produit 1,6 millions de moteurs en 1999 avec 360 modèles différents selon les motorisations demandées quasiment en temps réel. Cette différenciation des motorisations est au service d'une différenciation des modèles de voitures, puis des voitures elles-mêmes. En fonction d'un modèle, on pourra faire varier les motorisations et les options (accessoires, couleurs) jusqu'à la production de micro-séries autorisant la différenciation des automobiles qui explique pour l'essentiel à la fois la structure de l'industrie automobile en oligopole concurrentiel global et l'ampleur des échanges de voitures entre pays industriels.

Dans l'*économie oligopolistique de la différenciation*, les rendements ne sont pas indéfiniment croissants car il y a des limites physiques ou réglementaires de production tandis que la différenciation limite la taille des marchés. De plus, les innovations techniques rapides peuvent déclasser un produit ou une unité de production, ramenant pratiquement instantanément à zéro la valeur d'un investissement initial d'un coût éventuellement élevé. Enfin, le cycle de l'organisation, qui favorise actuellement les structures décentralisées et les mécanismes de marché, accélère la différenciation et la réduction de la taille des marchés pertinents en termes de concurrence oligopolistique. On assiste à une différenciation en segments de marché de plus en plus petits en fonction des stratégies « produits / services » des acteurs concernés. A force de différenciation, on pourra, de loin, penser observer une économie de marché concurrentielle alors qu'elle sera, en réalité, oligopolistique sur des micro-marchés différenciés. En créant ce concept, on sera en régime de *concurrence micro-oligopolistique différenciée*.

L'*économie micro-oligopolistique de la différenciation concurrentielle*, que l'on nommera « **EMOD concurrentielle** » pour que l'on n'oublie jamais que l'aspect concurrentiel est tout aussi central au fonctionnement de cette économie que le mécanisme de la différenciation micro-oligopolistique, est à haut risque : on peut « rafler » temporairement un marché considérable avec un produit ou service dont le coût marginal de production est faible, puis tout perdre si un concurrent introduit une variante du produit ou service qui plaît davantage à la clientèle. Les acteurs dominants d'un marché doivent continuellement innover, mais aussi rester à l'affût d'une innovation « aux attraits fulgurants pour le public » d'un acteur marginal avant qu'il ne la vende à un concurrent.

La politique d'achats de licences ou de prises de participation dans les micro-PME innovantes travaillant à la marge du secteur est une part intégrante de la stratégie de développement d'un acteur global évoluant dans une *EMOD concurrentielle*. Souvent on achète des licences pour ne pas les développer, parfois on achète des micro-PME pour les tuer.

Nouvelle économie et travail

Les rapports au travail vont donc dépendre du rythme de développement de la NETIC et de la NEST et de la place de chacun au sein de l'économie. On distinguera les configurations suivantes :

- pendant la phase transitoire de domination des applications B2B en liaison avec l'accélération du déploiement du ST moderne, ce sont principalement les fonctions stratégiques (analyse des marchés et des produits présents et futurs, des stratégies des concurrents, etc.), techniques (bureaux d'études, achats, etc.) et industrielles des grandes entreprises qui vont être en première ligne. En revanche, pour les PME directement liées au système central de production des économies modernes — à distinguer des PME de l'économie locale travaillant surtout en direct pour les ménages (commerce, services de proximité, réparations, etc.) — la mutation va être dure. Soit elles vont s'intégrer dans les chaînes de sous-traitance qui se mettent en place, avec toute la brutalité des exigences des donneurs d'ordre, soit elles vont devenir les « poissons pilotes » de l'*EMOD concurrentielle* en alimentant les acteurs principaux en innovations de produits ou de *process*, soit elles vont disparaître par absorption ou suffocation ;

- Lorsque la NEST prendra le pas sur la NETIC, en l'englobant, toutes les fonctions des entreprises seront intégrées dans l'*EMOD concurrentielle*. Subsistera encore une économie locale mais qui devra elle-même exister par sa différence de prestation : il ne suffira plus d'être à côté pour survivre. C'est la capacité offensive à s'intégrer à l'économie de proximité, en rendant des services personnels ou en fournissant des produits « sur-mesure avec le sourire », qui permettra de survivre. Car dans la NEST totalement automatisée et fondée sur l'intégration des logiciels de gestion ERP (*Enterprise Resource Planning*) et CRM (*Customer Relationship Management*), le système de production central pourra vendre des produits et rendre des services totalement personnalisés en gardant en mémoire les caractéristiques et préférences de chaque client.

Dans la phase transitoire, jusqu'en 2004-2005, si la conjoncture européenne se maintient à un relativement haut niveau, l'augmentation nécessaire des investissements devrait accentuer les pénuries de main d'œuvre qualifiée, ce qui facilitera l'adaptation aux exigences d'une économie du temps réel et de la flexibilité totale. Les emplois supprimés dans les unités de production totalement automatisées seront redéployés dans les usines fabriquant les chaînes de production automatisées. L'abondance d'épargne en Europe permettra de conduire un effort relativement soutenu d'investissement productif. L'indépendance monétaire apportée par l'euro jouera à plein. Pendant cette période transitoire, on pourrait connaître un âge d'or du salariat qualifié européen qui sera choyé, responsabilisé, « promotionné » et « *stock-optionné* ». Le boom économique permettra même aux travailleurs peu qualifiés, qui accepteront d'évoluer un peu pour servir les besoins personnels des travailleurs qualifiés, de trouver des emplois « corrects », sans *stock-options* et avec des responsabilités limités, mais néanmoins avec un peu d'autonomie et d'intéressement.

C'est dans les entreprises « poissons pilotes », chargées d'alimenter les entreprises de premier rang en innovations de produits et de *process*, que l'on trouvera la modification la plus radicale des caractéristiques du salariat. Les acteurs de ces micro-entreprises, capital-risqueurs associés à des scientifiques et techniciens de haut niveau, sont et seront totalement solidaires dans la prise de risque et le partage des profits lors de la revente des brevets ou des micro-entreprises elles-mêmes. Cette solidarité s'exprime par des *stock-options* mais plus encore par des accords de partage de *royalties* de licences ou par la vente d'actions au nominal aux salariés, pour ces entreprises non cotées, à mesure que les innovations se précisent, ce qui permet de contourner les problèmes éventuels de fiscalité.

En revanche, la situation du monde du travail en Europe et aux Etats-Unis pourrait se révéler beaucoup moins idyllique à la fin de la période de transition et de haut niveau d'investissement qui nous aura conduits, vers 2005, au cœur de l'*économie micro-oligopolistique de la différenciation concurrentielle*. Dans ce monde de l'ultra-efficacité totalement automatisée, il continuera d'y avoir un salariat très qualifié qui sera choyé, responsabilisé et *stock-optionné*. Mais si l'affaiblissement des gains de productivité, aux Etats-Unis comme en Europe, devait ramener la croissance autour de 2 %, voire moins en Europe si l'on ne porte pas remède au choc du vieillissement de la population qui se fera pleinement sentir à partir de 2005, la situation des salariés peu ou pas qualifiés pourrait à nouveau ressembler à celle du milieu des années 1990. La baisse éventuelle de la population active en Europe réduira le chômage mais ce sera bien le retour de l'euro-sclérose. Seuls les acteurs des entreprises « poissons pilotes » continueront de connaître le frisson de l'innovation, du risque et de la réussite ou de l'échec.

Si l'on synthétise ces évolutions probables du monde du travail au cours des années 2000, en s'appuyant sur ce que l'on observe déjà aujourd'hui, il apparaît que la césure entre travailleurs qualifiés et non qualifiés devrait continuer de s'affirmer. La croissance économique et les flux financiers d'intéressement versés aux salariés de l'ensemble de l'économie compétitive pourraient partiellement cacher ce phénomène, ou le rendre moins insupportable, si la reprise se confirme en Europe. Mais l'écart entre les salariés actionnaires et *stock-optionnés* et les autres devrait s'accentuer dans la mesure où la valeur ajoutée des salariés des entreprises « donneurs d'ordre » et des unités de production très automatisées sera sans commune mesure avec la valeur ajoutée marchande des travailleurs peu ou pas qualifiés, voire même avec la valeur ajoutée des travailleurs moyennement qualifiés de la partie efficace de l'économie locale. Une véritable **aristocratie du salariat très qualifié**, ou bien situé dans la chaîne de valeur ajoutée de l'*EMOD concurrentielle*, est en train d'apparaître.

De cet écartèlement probable de conditions du salariat naîtra naturellement une pression politique que les plus habiles sauront au mieux canaliser, voire exploiter à leur profit personnel. Pour éviter les dérives possibles, il conviendra donc de maintenir un système d'éducation et de « formation tout au long de la vie » qui soit efficace afin de ne pas retomber dans les ornières des années 1990 dont nous ne sommes pas encore complètement sortis. Le système fiscal et social devra favoriser davantage, en Europe et notamment en France, l'emploi et l'investissement productifs. Il serait inadmissible de ne pas profiter de la bonne conjoncture européenne, au cours des trois prochaines années, pour réaliser les réformes qui permettront d'éviter que ne se creuse ensuite l'écart entre les salariés très qualifiés du système de production central et les autres.

Chapitre 2 :
Rupture managériale

La présentation des révolutions économiques qui suit sert de support à l'exposé des révolutions managériales. Ce qui explique le découpage en trois révolutions économiques provoquant trois révolutions managériales. Nous rappelons tout d'abord pourquoi la première étape de la Première révolution économique n'a pas exigé un bouleversement majeur des pratiques de la direction des entreprises.

La **Première révolution économique** a été celle de l'application de la division du travail et de la maîtrise de l'énergie au service de la production industrielle. Elle est intervenue en deux étapes. La première, de 1780 à 1860 en Angleterre, fut marquée par l'intégration de la production au sein de petites usines qui restaient de dimension modeste. « La dimension typique de la firme représentative qu'évoquait Alfred Marshall, dont les célèbres *Principes d'économie* faisaient autorité au début du XXe siècle, restait celle que nous verrions aujourd'hui comme caractéristique d'une PME. (…) L'entreprise traditionnelle ne comprenait qu'un seul établissement dirigé par un seul propriétaire ou un petit nombre d'associés qui géraient à partir d'un seul bureau leur commerce, leur usine, leur banque ou leur activité de transport. Ces firmes n'exerçaient qu'une seule fonction économique, ne produisaient qu'un type de bien ou de service, et n'intervenaient que dans une zone géographique limitée » (Jean-Jacques Rosa : *Le second XXe siècle*, op. cit.). La première étape de la Première révolution économique fut donc essentiellement conduite par des petits patrons propriétaires, parfois aidé de quelques cadres, qui gardaient le contrôle direct du processus de production.

L'avènement de la deuxième étape, de 1860 à 1890 aux Etats-Unis, et son essor jusqu'en 1920, fut accéléré par la maîtrise de l'énergie vapeur appliquée aux chemins de fer et la baisse des coûts de transport qui conduisirent à une extension prodigieuse de la taille géographique et économique des marchés. Puis l'électricité accentua la mécanisation de la production en équipant la moitié des machines industrielles aux Etats-Unis dès 1920. Les flux de biens matériels dépassèrent les capacités humaines à les maîtriser, provoquant des tensions et des accidents violents. La réponse à ces tensions fut trouvée dans l'intégration bureaucratique assurant la coordination et le contrôle de la production grâce à la maîtrise des flux d'informations.

La Première révolution économique avait conduit, au cours de ces deux étapes, à l'apparition de la grande entreprise bureaucratique capable d'organiser sa structure interne en un ensemble coordonné de lignes ininterrompues d'autorité et de contrôle. L'entreprise intégrée grâce au travail d'un nombre élevé de cadres connut un développement exceptionnel dans le premier quart du XXe siècle en dépit de la législation anti-trust (Sherman Act de 1890). Après la Grande crise des années 1930 et par suite du développement de la production au cours de la Deuxième Guerre mondiale, la grande entreprise mécanisée avait complètement rétabli sa prééminence dans les années 1950.

La **Deuxième révolution économique** fut liée à la mise en place du Système Technique (ST) moderne, caractérisé par la synergie entre micro-électronique, automatisation et informatique, conduisant depuis le milieu des années 1970 au passage de la *production mécanisée* de la Première révolution économique à la *production automatisée* qui est au cœur du processus de globalisation du monde industriel hyper-développé. Dans les années 1990, on a atteint un stade d'informatisation poussée de la gestion des chaînes de valeur ajoutée liées à la production et à la distribution des biens et services au sein de l'économie de masse.

L'informatisation a bouleversé les ensembles coordonnés de lignes ininterrompues d'autorité et de contrôle qui pouvaient englober des milliers de cadres moyens et supérieurs supervisant le travail de dizaines ou de centaines d'unités de production employant jusqu'à des centaines de milliers de salariés. Les « directions informatiques » responsables de l'informatisation des lignes d'autorité et de contrôle et des processus de production acquirent une puissance stupéfiante, en liaison avec les « directions des programmes et du contrôle de gestion » des grandes entreprises ou des entreprises moyennes.

La **Troisième révolution économique** en cours fait en partie exploser ces schémas d'organisation. Ainsi qu'il est apparu au chapitre précédent, la NETIC accélère le déploiement de la NEST depuis le milieu des années 1990 aux Etats-Unis et depuis 1999-2000 en Europe. La NEST sera probablement généralisée à partir des années 2004-2005, au sens où elle englobera nettement plus de la moitié des entreprises et dominera les techniques de relation commerciale. Avec un tel bouleversement, on peut souhaiter anticiper la révolution managériale qui s'impose. Mais les habitudes prises ont une telle force, à la fois normative et organisationnelle, qu'on ne perçoit pas toujours en quoi les évolutions à l'œuvre bouleversent l'organisation et le contrôle des entreprises.

Notons, par souci de rigueur, qu'il serait plus juste, du point de vue de l'histoire des techniques, de parler, avec la généralisation de la NEST, de la deuxième phase de la Deuxième révolution industrielle dans la mesure où l'informatique reste au centre du processus même si ses effets changent de nature. Mais comme cette deuxième phase entraîne une Troisième révolution managériale, on lui donne, par symétrie, le nom de Troisième révolution économique.

Esquissons les ruptures amenées par la Troisième révolution économique résultant de la généralisation de la NEST avec mise en place d'une *EMOD concurrentielle*. Elles sont de l'ordre du technologique, de l'économique et des comportements humains.

- La révolution numérique est en cours. Les applications possibles semblent infinies ! En biologie, en physique et dans les échanges d'information, tout bouge et va continuer de se transformer. Par exemple, Jean-Pierre Garnier, président d'un groupe pharmaceutique global, déclare : « Pour la première fois de l'histoire, nous avons à notre disposition l'information génomique, de celles qui autorisent une compréhension cellulaire de la maladie. La recherche de nouveaux médicaments est en train de passer d'un stade empirique à une méthode beaucoup plus rationnelle. Cet élément est aussi majeur que l'arrivée du taylorisme dans l'industrie automobile. Il y avait autrefois 50 constructeurs qui produisaient des automobiles essentiellement à la main. Le montage des voitures à la chaîne a bouleversé cette industrie qui ne compte plus que sept ou huit opérateurs (majeurs) dans le monde. Les laboratoires pharmaceutiques suivront le même chemin. Nous pouvons désormais réformer la façon dont on découvre les médicaments, qui, jusque-là, n'était pas un "process" industrialisé et avait très peu de valeur prédictive. (...) (Une centaine de sites ont été lancé aux Etats-Unis sur *Internet* concernant différentes maladies et les médicaments offerts par le groupe) : *Internet* est à la fois une chance pour l'industrie pharmaceutique et pour les patients du monde entier. En tant que fabricants de médicaments, nous n'avions que la publicité, une communication uni-directionnelle et courte dans le temps, pour établir une sorte de contact avec le patient. Nous ne nous connaissions qu'un seul type de clients : les prescripteurs de nos produits. Quant aux patients eux-mêmes, aux Etats-Unis, ils ont désormais des possibilités infinies. En face d'un médecin, ils ont un temps limité pour parler de leur maladie. Sur le *Net*, ils ont accès aux meilleurs spécialistes mondiaux, peuvent écouter leur opinion, s'assurer qu'ils prennent le médicament comme il faut. » (*Le Monde*, 8 avril 2000). Voici un exemple des effets observés au niveau d'un secteur économique des ruptures technologiques en cours.

- Le comportement de l'homme en ressort profondément modifié. Il s'agit toujours de répondre aux besoins fondamentaux de l'homme. Mais autrement ! Ces besoins fondamentaux restent centrés autour de la reproduction de l'espèce et de l'échange. Ce qui évolue, c'est la façon de répondre à ces besoins. Les technologies conduisent à transformer les attentes et les comportements des consommateurs qui exigent une réponse en temps réel et personnalisée, tout en bénéficiant du confort lié à l'intégration à son « groupe d'accueil sur la *toile* » ou à sa tribu. Ces mêmes technologies donnent du temps qu'il faut employer différemment, ce qui est une libération pour certains ou une effroyable contrainte pour d'autres.
- Les modes de production sont bouleversés par la généralisation de la NEST : le client est au cœur de l'entreprise et toujours plus près de la production par l'effet du numérique, ce qui rend inutile un nombre croissant d'intermédiaires ; le niveau de formation des salariés de l'entreprise leur permet d'accéder à une plus grande autonomie dans la relation directe avec les clients en intégrant tous les progrès technologiques ; dans ce contexte, les rôles du *top* et du *middle management* sont en pleine mutation.

Face aux ruptures de la Troisième révolution économique, c'est la façon même de concevoir les

buts, les moyens et l'organisation de l'entreprise qui est totalement modifiée. C'est tout simplement la *Troisième révolution managériale* qui s'annonce.

Mais pour bien anticiper cette troisième révolution, il convient de rappeler quelques éléments de l'histoire du management.

Le management : un mal nécessaire à la réussite de l'entreprise

Comment gérer efficacement la division du travail conçue originellement pour des travailleurs analphabètes lorsqu'ils étaient réunis en grand nombre dans un seul atelier géant grâce au progrès technique qui était rendu possible par la mécanisation liée à la maîtrise de l'énergie ? Tel était le problème qui a été résolu, dans le dernier quart du XIXe siècle et le premier quart du XXe siècle, par ceux qui ont été appelés ensuite les *managers*. On a donc divisé les tâches à accomplir en autant d'actes simples pouvant être répétés indéfiniment même par un individu incapable de comprendre dans quel processus il s'insère. Mais il fallait faire travailler ces masses d'hommes : répartir le travail, contrôler sa bonne exécution, dépanner les machines, etc. Ce fut le rôle du *middle management* dont la fonction était d'ordonner et de contrôler ces masses. Le *middle management* était aussi le garant de la cohésion sociale dans l'entreprise, univers violent entre tous, mais cette fonction apparaissait comme l'accompagnement de ses rôles premiers.

La **Première révolution managériale** conduisit à l'invention du *management*. Rappelons les éléments clés de l'étape américaine de la Première révolution économique. La machine à vapeur a donné une source d'énergie permettant de concentrer en grand nombre sur un seul site les machines et la main d'œuvre, les tâches de cette dernière étant définies par l'organisation fondée sur la division du travail. Autorité et contrôle ont été les deux maîtres mots de l'organisation industrielle bureaucratique qui sépare la décision de sa mise en œuvre. Parmi les quatorze principes d'une bonne administration recensés par Henri Fayol dans son livre *Administration industrielle et générale* (Dunod, 1918), les trois premiers définissent avec une brutale clarté les fondements du *management* de l'organisation du travail au sein de l'entreprise : division du travail, autorité et discipline.

Cette approche fut systématisée par Frederick Taylor (principaux travaux publiés aux Etats-Unis de 1896 à 1911), qui précise dans son livre *Direction scientifique des entreprises* (Dunod, 1971, voir Bruno Jarrosson, *Cent ans de management*, Dunod, 2000) que la direction scientifique du travail exige que « patrons et ouvriers joignent leurs efforts pour augmenter l'importance de la valeur ajoutée. Et pour rendre efficace cette nouvelle attitude, ils remplacent les connaissances empiriques du travail par son étude scientifique préalable à toute exécution de ce travail ».

Les trois commandements du taylorisme peuvent se résumer ainsi :

- les tâches qui se répètent doivent être étudiées dans les moindres détails : décomposition de la tâche en gestes élémentaires, exécution optimale de chaque geste élémentaire en rela-

tion avec l'outil, avec des temps d'exécution prédéfinis. Cette décomposition scientifique de la tâche fut le propre des « Bureaux de méthode » dans les activités organisées en chaînes de production ;
- le rythme de travail doit être imposé aux opérateurs et contrôlé fréquemment par le *middle management* ;
- les tâches ainsi organisées et contrôlées peuvent être confiées à des opérateurs ne disposant pas de qualification technique particulière. La plupart des ouvriers sont spécialisés (OS), seule une minorité étant « qualifiée » pour des tâches un peu plus complexes mais néanmoins inscrites dans la division du travail.

Le travail à la chaîne fut mis en œuvre à grande échelle dans les usines Ford à partir de 1913. En généralisant le travail à la chaîne inscrit dans l'organisation « scientifique » du travail, le « fordisme » a permis des gains de productivité considérables autorisant simultanément la progression spectaculaire du pouvoir d'achat et la baisse non moins importante des prix à la consommation qui ont caractérisé l'histoire économique des pays dits industriels au XXe siècle. En effet, l'organisation scientifique du travail dans les usines était la caractéristique dominante des pays modernes, avec toutes les conséquences politiques et sociales, positives ou néfastes, qui en résultaient.

La **Deuxième révolution managériale** fut liée aux débuts de l'informatisation des systèmes de gestion dans les années 1970 et à sa généralisation dans les années 1980 et 1990, pendant la Deuxième révolution économique. Elle prétendait pousser l'organisation scientifique du travail jusqu'à son extrême limite en prenant en compte l'élévation du niveau de formation de la main d'œuvre résultant de la généralisation progressive de l'enseignement primaire et secondaire au cours du demi-siècle séparant les années 1920 des années 1970. Dans cette approche, l'opérateur qualifié assisté par des ordinateurs et des robots s'inscrivait dans une chaîne de production non seulement organisée mais informatisée. On pouvait même imaginer que la machine allait remplacer l'homme, l'écran d'ordinateur les ordres du contremaître.

De plus, l'informatisation des *process de production* permettait à la fois l'automatisation de la production et l'auto-contrôle de celle-ci. On n'a alors plus eu besoin de ces cadres dont on pensait qu'ils n'étaient destinés qu'à ordonner et contrôler des masses à peu près incultes. Le *middle* n'était plus qu'un coût qu'il fallait réduire et un frein à l'efficacité qu'il fallait éliminer. L'avènement de la *production automatisée* signalait la mort des cadres intermédiaires et de la maîtrise.

Dans le même temps, ces capacités informatiques permettaient de centraliser la définition des solutions que devaient apporter l'entreprise à ses clients, grâce à la centralisation des informations rendue possible par les premiers ordinateurs. Cette définition des solutions fut même concentrée progressivement aux mains de la *technocratie informatisée*. Cette technocratie fut ainsi en position de définir les réponses apportées aux clients. L'offre étant définie en petit comité, il ne restait plus qu'à produire de façon optimale en minimisant les coûts. Progressivement, le *top management* a cédé à l'illusion des *réponses packagées en solutions fermées* par cette *technocratie informatisée*, sous couvert de la nécessaire performance financière.

C'était l'ère du partage des solutions plutôt que du partage des problèmes dont la définition était réservée à une élite. Illustrons cette situation dans les années 1990. Quelle était souvent la réalité de l'entreprise jusqu'à la fin des années 1990 ?

Il y avait d'un côté les problèmes réels de l'entreprise et de l'autre les hommes.

Les problèmes réels sont ces préoccupations naturelles incontournables : quoi produire, comment, avec quelle politique pour répondre de quelle façon si possible durable aux besoins ressentis par les clients solvables ? Et comment solvabiliser la demande qui ne l'est pas ?

Des problèmes si décisifs qu'il ne fallait surtout pas les soumettre en tant que tels aux acteurs de l'entreprise, opérateurs et *middle managers*, certes en contact quotidien avec les clients, mais néanmoins souvent réduits à exécuter les instructions venues d'en haut. Les problèmes décisifs étaient alors le domaine réservé des « grands sachants » dont la mission était d'apporter des réponses à tous ceux qui, dès le départ, avaient été exclus de l'énoncé de la problématique de base. Ces *réponses packagées en solutions fermées* sur elles-mêmes étaient ensuite véhiculées par les nouvelles technologies et plaquées sur des exécutants, traités comme des « incomprenants », qui étaient d'autant plus amoindris qu'ils n'avaient pas le bon goût de comprendre ces « solutions » pourtant « géniales ».

Avec cette approche, il n'y avait effectivement aucune place pour le *middle manager* qui n'était plus qu'un obstacle à l'application de « solutions » *a priori* géniales. Il ne restait plus qu'à « améliorer les compétences des *managers* » et à réduire les niveaux d'encadrement. Certes, la « débureaucratisation » était nécessaire. Mais l'on a pu noter, à la suite de « dégraissages » massifs de cadres intermédiaires, des pertes de mémoire dans l'entreprise et une baisse de motivation de l'encadrement qui ont par exemple conduit le MEDEF, lors de sa première université d'été en septembre 1999, à réfléchir sur le thème : « comment regagner la confiance des cadres ? ».

Comment en est-on arrivé à ce divorce entre les « grands sachants » et les « incomprenants » ? Comment a-t-on pu penser que l'on pouvait durablement s'en sortir avec des *réponses packagées en solutions fermées* ? Il a bien fallu que l'on investisse la machine de vertus qu'elle n'a pas !

Pour asseoir son pouvoir, la *technocratie informatisée* a multiplié les modes dans la pratique du *management* et les types souhaitables de *manager*, en alliance objective avec les écoles de *management* et les consultants qui trouvaient autant d'occasion de renouveler leur offre. Ces pratiques ont souvent conduit au renforcement des pouvoirs multiples de cette technocratie et à l'isolement croissant du *top management*. La *technocratie informatisée* est devenue un écran opaque entres les dirigeants de l'entreprise et le *middle management*.

Un mal toujours mieux soigné par la multiplication des interventions et la complexification des procédures... et toujours présent

Quelles que soient les différentes modes managériales qui ont pu se succéder au cours des trente dernières années, l'entreprise a toujours été pilotée de la même manière, avec des dirigeants d'un côté et des dirigés de l'autre.

Pour préciser le développement précédent, tout se passait sur le même schéma : à l'initiative ou parfois à l'insu du *top management*, la *technocratie informatisée* élaborait une stratégie susceptible de répondre aux problèmes généraux posés à l'entreprise (des bons produits pour des bons clients). Elle réfléchissait ensuite à l'organisation optimale susceptible de motiver les salariés et d'atteindre les objectifs fixés. Elle se mettait ainsi en situation de « **vendre des solutions à des problèmes dont seuls quelques-uns étaient habilités à connaître l'énoncé** ». Lorsqu'elle réussissait à s'imposer, la technocratie informatisée se constituait en « grande prêtresse » de l'entreprise, détentrice du pouvoir qu'elle tentait d'exercer. Pour asseoir ce pouvoir, elle utilisait deux instruments :

- un prétendu « Grand Plan Secret » comme lieu de cohérence mythique de ses actions quotidiennes ;
- le *middle management* comme bouc émissaire de ses échecs programmés.

Le *Grand Plan Secret* était censé expliciter, d'une part, l'ensemble des raisons qui conduisaient à s'adapter sans cesse à la globalisation, à la *net-économie* et aux exigences des actionnaires professionnels et, d'autre part, les axes réels de développement de l'entreprise à moyen terme, à distinguer de la stratégie affichée. Cette notion de *Grand Plan Secret* est évidemment à prendre au second degré. Il n'y avait pas un plan quelque part dans un coffre, mais très souvent, l'entreprise était conduite comme si c'était le cas. L'existence supposée d'un plan secret rendait difficile l'appropriation des décisions stratégiques par le *middle management* et par les opérateurs en contact direct avec les clients.

Quant au *middle management*, il était tout désigné pour expier l'incapacité de la *technocratie informatisée* à mobiliser, à convaincre et à entraîner. On ne manquait pas d'arguments pour expliquer cet état de fait. Pour la plupart, les *middle managers* étaient issus du rang et peu diplômés, parfois même moins diplômés que de jeunes conducteurs d'ensembles automatisés fraîchement embauchés. Ils représentaient ce qu'aujourd'hui on rejette : la promotion par l'expérience ouvrière.

Ces *middle managers* n'étaient là que pour faire exécuter, à quelques habillages de motivation près, les instructions données par la *technocratie informatisée*. Ces habillages ont pris la forme de discours incantatoires prônant la flexibilité et l'efficacité au service d'une meilleure compétitivité. La globalisation sacralisait le *Grand Plan Secret* qui apparaissait comme le seul moyen de sauver la communauté de l'entreprise et renforçait toujours plus le pouvoir de la *technocratie informatisée*.

Le nécessaire passage du Grand Plan Secret à des « orientations pleinement appropriées par le *management* » est lié à la prise en compte des enjeux de *management* associés à la *nouvelle économie*.

La généralisation de la NEST

La généralisation de la NEST, qui pourrait être effective dès 2005, fait exploser tous ces schémas encore si vivaces dans nos têtes. L'informatisation de l'échange inverse la logique économique sur laquelle s'appuie l'entreprise.

Imaginons que demain les progrès simultanés de l'informatique et d'*Internet* conduisent, par la reconnaissance vocale, à rendre immédiate et simultanée la communication orale et écrite entre un ou plusieurs émetteurs et un nombre indéfini de participants. Cette technologie sera accessible à tous en termes de facilité d'accès technique et de coût. Elle sera aussi banale que d'avoir le téléphone chez soi ou une parabole sur son balcon. C'est toujours le message, et non le support technique, qui provoque la communication, la réaction, l'émotion et qui déclenche la fertilisation croisée répondant à un besoin réel.

Or, ce que l'on appelle *nouvelle économie* dans ce contexte, ce n'est pas l'application généralisée d'*Internet* qui nous en donne la clé. **Car pourquoi cette inquiétude face à la *nouvelle économie* si elle n'est que du *e-business* ?**

Ce qui fonde la *nouvelle économie*, en termes de *management*, c'est la fin de la logique du « grand sachant ». Il n'y a plus de place pour le « détour » de la « solution géniale à des problèmes généraux », un détour construit comme un parcours initiatique qui justifie le pouvoir exclusif et la rémunération de quelques-uns contre l'intérêt général. **Dans la *nouvelle économie*, il faut des réponses en temps réel à des attentes immédiates du client, que les attentes soient spontanées ou suscitées.** Même si la solution imposée d'en haut est vraiment géniale, dans la *nouvelle économie*, elle arrive trop tard, trop cher. Pour combler ce fossé, **la clé est d'apprendre à partager les problèmes entre tous les acteurs de la réussite de l'entreprise, et non pas des solutions prétendument géniales élaborées par quelques-uns.**

Insistons davantage sur la nature technologique de la révolution en cours. La **Deuxième révolution managériale** fut liée à l'informatisation progressive des systèmes de gestion et des *process de production*. Des ordinateurs que, paradoxalement, « on voyait partout sauf dans les statistiques de productivité de la comptabilité nationale », comme le fit remarquer en 1987 le prix Nobel d'économie Robert Solow, d'où le nom de paradoxe de Solow. Or la nécessité de la **Troisième révolution managériale** vient de ce que, après l'informatisation de la gestion et de la production, on aborde, dans les années 2000, l'informatisation généralisée de l'échange lui-même dans le cadre d'une économie en réseaux soumise à la loi de Metcalfe. Selon cette dernière, la valeur d'un réseau augmente comme le carré du nombre de ses utilisateurs. **Dès qu'une masse critique d'utilisateurs est dépassée, la valeur du réseau, des technologies qu'il utilise, des clients qui l'utilisent, des produits et services distribués, augmente en fonction de l'exclusion stratégique des fournisseurs, opérateurs et clients qui en sont coupés.** C'est l'informatisation de l'échange au sein d'une économie en réseaux qui fait exploser la logique du « grand sachant » au bénéfice d'une logique d'innovation « produit / service / marketing » centrée sur la satisfaction immédiate du client. Cette logique d'innovation ne peut fonctionner qu'à partir des besoins directement exprimés par le client et non sur la base d'une problématique élaborée au sommet d'une hiérarchie aboutissant à des « solutions » qui déterminent les acteurs de l'entreprise.

Partager les problèmes plutôt que les solutions : c'est bien l'élément clé de la réussite à construire ensemble. Des problèmes posés par le client autour duquel doit se reconstruire l'organisation de l'entreprise. Mais il ne faut pas pour autant tomber dans le piège de partager des problèmes qui ne sont pas du ressort des acteurs, par exemple demander à la caissière de « penser » le problème stratégique du réseau de distribution, demander au livreur de repenser le système logistique, ou demander au soudeur de concevoir la meilleure stratégie commerciale pour ses produits à l'exportation.

Comment faire pour partager, au « bon niveau », les problèmes plutôt que les solutions ?

Chapitre 3 : L'enjeu du *middle management*

La Troisième révolution managériale et l'entreprise « réussissante »

Elle a une double origine, technologique et comportementale.

Premier pilier : *la numérisation, l'automatisation, et les nouvelles Technologies de l'Information et de la Communication (TIC) associées, qui provoquent l'avènement de la « nouvelle économie », permettent de résoudre en temps réel des problèmes complexes tout en conduisant les clients à exiger des réponses immédiates. L'informatisation généralisée de l'échange dans le cadre d'une économie en réseaux conduit à l'essor du B2B (Business to Business) et au développement de solutions B2C (Business to Consumer) qui deviendront probablement dominantes au milieu de la décennie actuelle. L'exigence des clients ne permet plus le détour de la solution centralisée à des problèmes généraux, tout en rendant possible la solution immédiate des problèmes particuliers à chacun.* D'autant plus que cette numérisation apporte des instruments qui libèrent les forces de travail des tâches répétitives et les laissent libres d'acquérir des compétences nouvelles, sources de renouvellement permanent pour l'entreprise inscrite dans un parcours de développement durable.

Deuxième pilier de la *Troisième révolution managériale* : les comportements et les attentes des salariés ont changé. Ils sont moins enclins à s'investir totalement, soit pour gagner plus, soit pour acquérir un statut social. Le travail devient une préoccupation parmi d'autres et il ne justifie plus tous les sacrifices.

La *Troisième révolution managériale* va se déployer dans la décennie 2000. Mais on ne peut pas attendre qu'elle soit théorisée en 2010 pour agir. Il faut disposer de guides pour l'action immédiate : tel est bien le cœur de ce livre.

Considérons les acteurs de l'entreprise : il y a souvent un décalage considérable entre les discours enthousiastes et les suites de ces discours en termes de restructurations et de plans sociaux. L'entreprise a parfois trahi son propre discours, le scepticisme des salariés en résulte naturellement.

L'engagement des salariés n'est donc plus acquis d'avance. Il ne l'avait d'ailleurs jamais été totalement. Dès les années 1930, des études de sociologues américains avaient montré que la productivité peut faire l'objet d'un contrôle social du groupe au sein de l'entreprise. Le travailleur ne produit pas seulement en fonction des conditions objectives de production mais également en fonction de sa perception subjective des relations humaines dans l'entreprise. **La motivation devient alors un des éléments clés du *management*.**

Les théories de la motivation en disent parfois plus sur les préjugés de leurs auteurs que sur la réalité des salariés. Les cinq besoins de l'homme identifiés par Maslow (physiologiques, sécurité, appartenance sociale, estime de soi et autoréalisation) sont séduisants mais peuvent induire en erreur dans certaines circonstances si l'on suppose qu'il existe une stricte hiérarchie entre eux. Si l'on suit Frederick Herzberg dans un article célèbre de la *Harvard Business Review* (*A la recherche des motivations perdues*, 1968, in *La Revue de l'Association pour le Progrès du Management*, n° 35), il apparaît que « les facteurs engendrant la satisfaction (et la motivation) au travail sont tout à fait distincts de ceux qui suscitent le mécontentement. Etant donné qu'il faut considérer des facteurs séparés selon que l'on étudie la satisfaction ou le mécontentement dans le travail, il s'ensuit que ces deux sentiments ne sont pas opposés. Le contraire de la satisfaction dans le travail n'est pas le mécontentement, mais plutôt l'absence de satisfaction ».

En fait, deux types de besoins différents de l'être humain apparaissent : ceux liés à son caractère animal et ceux liés à son besoin d'accomplissement. La non satisfaction des besoins primaires provoque le mécontentement, mais pour motiver, il faut donner à chacun les moyens de son accomplissement. Seul est motivé celui qui a trouvé son propre générateur : on ne motive pas, on se motive !

Dans ce contexte, comment donne-t-on aux salariés qui sont garants de la permanence des savoir-faire de l'entreprise les moyens de se motiver ? L'ensemble des études sur les entreprises à longue durée de vie, montre que leurs dirigeants, tout en ne méconnaissant pas les préoccupations économiques et financières, ont toujours donné la priorité à la vitalité de la communauté humaine dont ils sont responsables. Dépassant l'opposition entre l'économique et l'humain, c'est-à-dire le choix entre l'un ou l'autre, ils sont dans la logique de l'un et l'autre, à la fois *shareholder value* et *stakeholder value* (*share = action* ; *stake = enjeu*), valeur non seulement pour l'actionnaire mais pour chacun des deux autres acteurs principaux de l'entreprise ayant intérêt à sa réussite : le client et le personnel. Dans une perspective de développement durable, on peut, voire doit, également inclure l'environnement de l'entreprise dans l'ensemble de ces acteurs de la réussite collective. La motivation n'est donc pas un élément singulier (à l'extrême, un individu miraculeusement motivé dans une entreprise démotivante !), mais le fruit d'une stratégie d'ensemble inscrite dans le temps long (un groupe d'hommes et de femmes qui se reconnaissent dans une stratégie et des comportements durables de l'entreprise).

L'*entreprise réussissante*, inscrite dans le temps long, est au cœur de la *Troisième révolution managériale*. Elle prolonge l'acquis de l'*entreprise apprenante* (*learning company*) de la *Deuxième révolution managériale*, une entreprise trop souvent liée à l'ancienne économie et qui n'avait pas toujours su libérer le *middle management* de sa soumission à « l'excellence des grands sachants ». Et puis, après tout, apprendre, c'est bien, réussir dans la durée en respectant les valeurs de la Communauté, c'est mieux ! L'*entreprise réussissante* a pour fondement la motivation de ses collaborateurs par l'adoption d'un « gouvernement à long terme » de ses projets. On aurait pu la nommer « entreprise motivante », ce qu'elle doit être. Mais motiver vers quoi, si ce n'est la réussite ? Le terme d'*entreprise réussissante* a le mérite d'être clair !

L'*entreprise réussissante* est celle qui fait participer sa Communauté d'appartenance à sa réussite. Réussite matérielle par association des salariés aux profits de l'entreprise. Réussite personnelle par le développement de l'employabilité de chaque salarié inscrit dans un parcours de progrès généralisé. **Il importe absolument d'inscrire le *middle management* dans ce parcours de progrès.**

Le *top management*, intégrant les bouleversements de l'offre et de la demande liés à la numérisation, rétablit la résolution des problèmes au niveau pertinent, dans le contact direct entre l'opérateur de l'entreprise et le client, et restaure le *middle management* comme lieu de cohérence entre l'action quotidienne des opérateurs de l'entreprise et les objectifs stratégiques fixés par le *top management* (voir chapitre 4). Ce qui suppose que le *middle management*, non seulement comprenne mais s'approprie ces objectifs. Précisons ces différents points.

A « nouvelle économie », « nouveau » middle management

L'avènement de la NEST bouleverse le *management* de l'entreprise. Les nouvelles technologies permettent de *répondre à une demande instantanée par une offre qui doit être instantanément adaptée* sous l'effet de la généralisation de l'informatisation de l'échange au sein d'une économie en réseaux.

Hier, dans une entreprise construite sur le partage des solutions élaborées par les « grands sachants » (collaborateurs du *top management* ou consultants de haute voltige), la segmentation de l'information réduisait souvent les cadres moyens au rôle de fusible dans l'organisation. Voilà les raisons pour lesquelles le *middle management* a été mis en condition d'échec par la logique même de l'organisation, et considéré ensuite comme un frein au développement et un coût de fonctionnement.

L'ancienne économie, jusques et y compris au milieu des années 1990, tolérait l'*apartheid* entre « grands sachants » et *incomprenants*. En effet, comme indiqué au chapitre 2, la résolution des problèmes posés à l'entreprise était captée par une minorité qui monopolisait l'élaboration de *réponses packagées en solutions fermées sur elles-mêmes* qui étaient imposées aux autres acteurs de l'entreprise.

Face à la prise de conscience de l'impossibilité de continuer par le détour de la « solution géniale », on a balbutié autour de l'entreprise apprenante sans remettre en cause l'organisation entre « grands sachants » et *incomprenants*. C'est la mort annoncée de cet *apartheid* entre sachants et *incomprenants* qui oblige à rétablir le primat du problème partagé entre les acteurs de l'entreprise sur le désordre de la « solution venue d'en haut ».

L'économie de la demande des années 1950 aux années 1970 et l'économie de l'offre des années 1980-1990 se fondent dans l'économie de la réponse immédiate à un besoin particulier au début des années 2000. ***L'acteur le plus important de l'entreprise devient celui qui est capable d'organiser la réponse immédiate à la demande du client dans le cadre des objectifs stratégiques de l'entreprise.*** **C'est donc celui qui comprend à la fois les besoins du client et les enjeux de la péren-**

nité de l'entreprise : nous avons nommé le nouveau *middle manager*.

Signalons immédiatement le piège à éviter dans le contexte des nouvelles technologies. Faire du *middle manager* le porteur des exigences stratégiques de l'entreprise n'est pas un objectif qui peut être atteint par des courriers électroniques, fussent-ils quotidiens. Le courrier électronique est d'ailleurs en soi un objet d'étude, langage parlé qui s'écrit mais qui a perdu la force de la construction écrite conceptuelle au rythme des simplifications du style.

Au cœur de cette *Troisième révolution managériale*, le *middle manager* doit être intégré au processus d'analyse et de conceptualisation des visions stratégiques de l'entreprise conduit par le *top management*. Le *top* doit donc veiller à l'appropriation par le *middle* des orientations stratégiques fixées par l'entreprise en s'assurant que cette appropriation est suffisamment complète pour que le *middle* en devienne le vecteur opérationnel. Le pseudo *Grand Plan Secret* du passé doit se transformer en véritable Grand Plan Ouvert au sein duquel le *top* et le *middle management* partagent les mêmes orientations stratégiques que tous peuvent s'approprier. Ce processus d'appropriation ne s'improvise pas : il est nécessairement le fruit d'une démarche professionnelle conduite sous le contrôle direct du *top management*.

En conséquence, l'entreprise est face à un grave problème. La légitimité du pouvoir illusoire des « grands sachants » étant remise en cause, il est improbable qu'ils s'effaceront galamment devant le nouveau *middle manager*. Le plus probable est qu'ils vont chercher à maîtriser les nouvelles formes d'organisation de l'entreprise en complexifiant ses procédures. Tout reposera sur la capacité du *top management* à ne pas se laisser enfermer dans de nouvelles réponses pseudo-techniques afin de libérer le papillon du nouveau *middle manager* de la chrysalide de celui que l'on voudrait encore réduire au rôle de « petit chef » expiatoire. Naturellement, la transmutation de l'ancien *middle* en nouveau *middle management* adapté à la *nouvelle économie* ne se décrète pas.

Une première étape

La prise de conscience de la nécessité de transformer le rôle du *middle management* est déjà intervenue au cours des années 1990 dans certaines grandes entreprises comme General Electric, ABB ou 3M. Comme le rappellent Christopher A. Bartlett et Sumantra Ghoshal (*Trois profils de cadres pour l'an 2000, L'Expansion Management Review*, mars 1998), ces entreprises ont découpé leur organisation en ensembles de petites unités opérationnelles après avoir renoncé au découpage en groupes, secteurs et divisions. Elles ont également multiplié les relations croisées permanentes entre unités. Ces firmes pratiquent ce que l'on nomme l'*empowerment* qui remet en cause la culture autoritaire des hiérarchies classiques. Chez ABB, Percy Barnevik, le PDG responsable de la mutation de l'organisation, a introduit une décentralisation radicale compensée par une très forte responsabilité individuelle. De même General Electric et 3M ont développé l'engagement entrepreneurial des individus. De façon générale, les opérationnels doivent sortir de leur rôle traditionnel d'exécutants pour faire preuve d'esprit entrepreneurial, jusqu'à devenir des « opérationnels entrepreneurs ». Mais ceci suppose de développer des structures, des processus et des cultures qui favorisent cette mutation et la prise de risques qui en résulte. Ces « opérationnels entrepreneurs » doivent apprendre à « faire plus avec moins » tout en œuvrant pour l'amélioration continue des unités opérationnelles.

Dans ce contexte, le *middle management* (cadres intermédiaires et maîtrise) doit se transformer en « développeurs » en passant du contrôle-autorité du passé à un travail de soutien et de développement de l'organisation. Le *middle management*, que ces entreprises ont tenté de faire émerger, ne doit plus dominer ses subordonnés ou les déresponsabiliser mais doit devenir une source d'aide et de conseil pour les « entrepreneurs opérationnels internes ». Les cadres intermédiaires doivent également assurer la coordination des unités qui leur sont rattachées. Comme le notent Bartlett et Ghoshal : « Dans le tourbillon des dégraissages et autres restructurations, les organisations qui démantèlent leurs mécanismes d'intégration verticale sans mettre en place dans le même temps une coordination horizontale, passent à côté d'économies d'échelle potentielles. Pis, elles perdent les avantages qu'apporteraient l'utilisation des actifs, des savoir-faire et des outils de chaque unité à l'échelle du groupe. Ce sont les cadres intermédiaires qui rendent efficace le renversement de la pyramide. Ils évitent à l'entreprise de se retrouver submergée par l'ambiguïté, la complexité et les conflits potentiels, lots communs de nombreuses organisations ayant aplati leur hiérarchie ».

Tout ce travail de réorganisation de grandes entreprises phares des années 1990 doit être systématisé avec l'impact des nouvelles technologies afin d'être appliqué dans l'ensemble des entreprises petites et grandes qui veulent entrer dans la *nouvelle économie*.

L'essence du nouveau middle management

L'entreprise plongée dans la *nouvelle économie* doit être capable d'organiser la sélection et la circulation de l'information pertinente à chaque niveau de décision, du bas vers le haut et vice-versa, du centre à la périphérie et vice-versa.

Le nouveau *middle management* devra continuer de parler le langage des opérateurs tout en inscrivant son action dans les orientations stratégiques de l'entreprise. C'est parce qu'il est au contact des opérateurs et des clients et qu'il maîtrise les nouvelles technologies, que le nouveau *middle* peut assurer la cohérence de la résolution des problèmes de l'entreprise tout en faisant remonter l'information pertinente sur les évolutions des attentes des clients et des préoccupations des opérateurs. Des attentes souvent simples et directes dans leur expression, qu'il ne convient pas de compliquer, mais auxquelles il faut répondre efficacement avant de songer à les inclure dans des démarches plus « sophistiquées ». Encore une fois, la sophistication de la réponse n'a aucune chance de séduire si les services de base attendus par le client ne sont pas traités avec célérité et excellence. L'erreur absolue étant de traiter les services de base comme étant des services « bas de gamme » à ignorer ou, au mieux, à externaliser. Par exemple, une chambre d'hôtel de qualité suppose un certain confort du lit, une télévision qui fonctionne, une salle de bains agréable, etc., mais aussi que l'employé de la réception soit poli avec le client lorsqu'il se présente à l'hôtel et surtout que les draps soient absolument propres ! (1)

Les cadres intermédiaires, parce qu'ils sont les *centres de transmission de l'information pertinente et de son incorporation au processus de décision de l'entreprise sont les accoucheurs et les développeurs des compétences de l'entreprise*. C'est en cela qu'ils sont les vecteurs de la performance compétitive durable. D'autant plus que le *middle manager* rompt l'isolement des opérateurs face à l'organisation en leur faisant partager les objectifs de l'entreprise et comprendre sa stratégie. Le *middle manager* est aussi le capteur permanent de l'entreprise et du *top management* au contact de tous les changements hors de l'entreprise mais aussi en son sein.

Le nouveau *middle manager* permet de dépasser l'illusion que la machine peut remplacer les médiations montantes et descendantes de l'*entreprise réussissante*. Il met à l'abri de réponses super-

---

(1) : Devant un tel enrichissement du rôle du *middle management*, on peut anticiper, voire déjà observer l'émergence de deux types de nouveaux *middle managers* : ceux qui se concentreront sur le travail de mise en cohérence entre les attentes des clients, les préoccupations des opérateurs et les exigences de la stratégie de l'entreprise et ceux qui, dans un champ d'action plus réduit et pour des missions spécifiques, concentreront en eux-mêmes ces différentes caractéristiques en devenant des super-opérateurs branchés sur les attentes des clients et y répondant dans le cadre des options stratégiques de l'entreprise. Pour simplifier, nommons les : les « *middle managers* de mise en cohérence » et les « *middle managers* super-opérateurs ».

ficielles aux dysfonctionnements de l'entreprise par la ***mise en cohérence des attentes des clients, des préoccupations des opérateurs et des exigences de la stratégie***. Cette fonction clé doit absolument être maîtrisée par le *middle management* sous contrôle des dirigeants de l'entreprise.

Le middle manager, ventre nourricier de l'entreprise

Comme le ventre est le siège de la régulation des échanges d'énergie qui permet l'équilibre du corps, c'est au niveau du *middle* que se régulent les échanges entre les opérateurs et le *top management* de l'entreprise. Pour dépasser les deux adages, « ils ne comprennent rien » (cri du *top*) et « ils ne nous comprennent pas » (cri des opérateurs), le *middle* doit jouer son rôle de décodeurs de signaux. Pour faire analogie, les intestins sont source d'énergie vitale car ils régulent les apports de toute la matière nécessaire à la construction du corps. De même, le nouveau *middle* assure la nutrition informationnelle de l'entreprise. Il supprime le risque de voir les opérateurs réduits au silence, comme des organes du corps qui ne seraient plus alimentés par le sang. Etre réduit au silence conduit à un sentiment d'impuissance qui provoque l'apathie, la mise en retrait, tout ce que l'on nomme du nom usuel et rarement décrypté de démotivation. C'est le partage de l'information sur les objectifs et les moyens de l'entreprise face à ses concurrents sur ses marchés présents et futurs, sans oublier la formation des hommes et l'intéressement aux résultats, qui donnent à chacun son propre générateur de motivation.

Le ventre est aussi le lieu de conception de l'embryon qui renouvelle l'espèce. De même, c'est dans le ventre de l'entreprise que peut naître l'innovation qui ne se transforme en vigueur permanente de renouvellement qu'à deux conditions : la capacité à prendre des risques et la capacité à gérer les erreurs.

En effet, la manière dont sont traitées les idées nouvelles des collaborateurs de l'entreprise, est la clé d'un comportement collectif d'innovation. Une bonne idée réellement décisive ne naît qu'au milieu de dizaines d'idées « moyennes » et de quelques mauvaises. Si les auteurs des idées moyennes sont moqués et les auteurs des mauvaises sont punis, les auteurs des bonnes seront probablement silencieux. Apparaissent à ce moment-là deux notions capitales dans l'exploitation d'une idée nouvelle : la prise de risque calculé et la mise à disposition des informations et des ressources nécessaires pour l'exploitation optimale de l'idée. Souvent de bonnes idées n'aboutissent pas par défaut de moyens ou par refus d'assigner ou de mettre à disposition des compétences qui sont pourtant disponibles dans l'entreprise (2).

En ce qui concerne la gestion des erreurs, notons que chaque individu reconnaît ou revendique que sa compétence est le fruit d'erreurs passées, analysées et dépassées. Or ce processus sain au niveau de l'individu est nié ou découragé au niveau de l'entreprise. Certes, l'entreprise ne peut tolérer la

---

(2) : On peut d'ailleurs imaginer des processus d'innovation qui responsabilisent les porteurs de compétences qui ne se sentent pas nécessairement impliqués par le succès ou l'échec d'une idée dont ils ne sont pas les auteurs.

multiplication d'erreurs opérationnelles au cœur des processus de production stabilisés. En revanche, la gestion de l'erreur liée aux recherches de pistes, comportements, produits nouveaux doit se nourrir de l'enseignement du processus d'essai et d'erreur qui est à la base de l'apprentissage individuel. L'erreur n'est fatale que si on ne s'entraîne pas à la détecter, à la traiter afin de s'enrichir pour ne pas la répéter dans la forme détectée ou dans des formes équivalentes. L'erreur ainsi analysée est au cœur du processus de la connaissance. C'est là encore une mission essentielle du *top management* que de construire des systèmes d'essai-erreur autorégulés qui permettent d'encourager l'innovation dans l'entreprise.

Même si le *top management* réussit dans sa mission d'architecte du futur et d'ordonnateur des problématiques (voir chapitre suivant), il faut un facteur décisif de la réussite qui porte la cohérence de l'action de l'entreprise et qui se trouve près du client avec pour mission de répondre à ses attentes tout en intégrant les enjeux de l'entreprise: c'est bien le *middle management* de la *Troisième révolution managériale*.

Le nouveau *middle manager* sera d'autant plus au cœur des nouvelles pratiques managériales qu'il est en première ligne face aux nouvelles générations de salariés de l'entreprise, marquées par la perte de confiance dans les idéologies et les organisations, et dont l'horizon d'action et de récompense est de plus en plus court. On ne motive plus ou rarement un jeune diplômé compétent par des perspectives de carrière à long terme. Se met en place une **contractualisation de court terme**, souvent l'année, entre le jeune opérateur et le *middle manager*, selon laquelle des objectifs sont assignés pour une date donnée, la récompense ou la sanction suivant la réalisation ou non du contrat au terme fixé. Le jeune opérateur souhaite recevoir la formation et les moyens de réaliser son « contrat » mais ne conçoit souvent pas de « rendre des comptes » avant le terme du contrat. Ce refus exprimée ou inexprimée de rendre des comptes à mi-parcours peut déstabiliser les cadres intermédiaires qui se conduisent comme de simples exécutants d'instructions venues d'en haut. Mais le nouveau *middle manager*, formé à la mise en cohérence des attentes des clients, des préoccupations des opérateurs et des exigences de la stratégie, trouvera dans son nouveau rôle le recul nécessaire pour « surveiller de loin » les jeunes opérateurs. Son rôle d'intégrateur des attentes des clients et des exigences de la stratégie en fera l'allié naturel des opérateurs qui auront besoin du nouveau *middle manager* pour être efficaces. Il sera la *référence qui guide* pour favoriser la réussite des opérateurs et non le *petit chef qui sanctionne* la non-exécution des « ordres supérieurs ».

La **Troisième révolution managériale**, qui renouvelle les missions et responsabilités du *top* et du *middle management*, permet le passage de l'entreprise de l'ancienne économie, hiérarchisée en « grands sachants » et *incomprenants*, à l'**entreprise réussissante axée sur la performance compétitive durable**. L'*entreprise réussissante* est au cœur de la *nouvelle économie* de l'information libérée par la numérisation des processus et des savoirs.

Chapitre 4 :
Le Dirigeant : Roi des pions ou architecte de l'avenir ?

Le « nouveau » *top management* est celui qui saura conduire la mutation vers l'*entreprise réussissante*. Ce nouveau *top management* devra être capable d'associer le *middle management* à la définition des orientations stratégiques, afin qu'il puisse se les approprier, et de lui donner les moyens intellectuels, techniques et financiers de répondre en temps réel aux problèmes posés par les clients.

Ne cachons pas la difficulté politique de l'exercice. Si la *Deuxième révolution managériale* a conduit à tailler dans les couches supposées inutiles du *middle*, et si la *Troisième révolution managériale* appelée par la *nouvelle économie* conduit à tailler dans les effectifs des « grands sachants » et/ou à transformer leur rôle en recalibrant leurs rémunérations, le passage de l'une à l'autre ne sera pas simple. On peut aussi organiser le « miracle » en transformant les ex - « grands sachants » en accoucheurs du nouveau *middle*.

La *Troisième révolution managériale* est composée de deux éléments :

- **rétablissement du primat du « problème résolu au niveau pertinent » par l'action judicieuse du *top management*,**
- **restauration du *middle management* comme instance de cohérence entre l'ensemble des problématiques posées à chaque niveau**

pertinent et leur résolution effective avec l'aide de tous.

C'est lorsqu'il réussit à assurer cette cohérence, en fonction de la stratégie définie par le *top management*, que le *middle* est le vecteur de la performance compétitive durable.

Le dilemme du chef d'entreprise

Le changement de posture de l'acte managérial, afin de passer de la logique de la solution venue d'en haut à celle du **problème résolu au niveau pertinent** et en cohérence avec les objectifs de l'entreprise, est décisif pour permettre à l'entreprise de se développer dans la *nouvelle économie*.

Au sommet du *top management*, c'est l'essence du dirigeant d'entreprise lui-même qui est ici en cause. Qu'il dirige, dans l'ancienne logique, ses collaborateurs comme autant de « pions » interchangeables soumis à la punition d'appliquer des « solutions venues d'en haut », et il sera lui-même traité comme le « roi des pions » par ses actionnaires. A l'inverse, qu'il soit **l'architecte de l'avenir et l'ordonnateur des problématiques traitées au niveau pertinent**, et il sera aussi indispensable aux actionnaires que la « reine des abeilles » dans la ruche de l'entreprise porteuse du miel des dividendes !

Pour devenir cet architecte de l'avenir et cet ordonnateur des problématiques traitées au niveau pertinent, le chef d'entreprise doit passer d'une approche « stratégie/structures » à une nouvelle philosophie fondée sur le couple « vision/personnes ».

Les valeurs traditionnelles de contrôle dans le cadre de structures rigides doivent être remplacées par des processus de création de valeur fondés sur la confiance et l'encouragement à la prise de responsabilité. Les hauts dirigeants (*top management* animé par le chef d'entreprise) doivent être une source de détermination vers l'objectif fixé qui donne sa cohérence aux actions de tous les membres de l'organisation.

Les compétences de *leadership* nécessaires dans une approche « vision/personnes » ne sont pas données à tous les hauts dirigeants. Ces compétences ne sont pas toutes innées et elles ne se limitent pas à quelques caractéristiques intangibles. Surtout, si l'on veut construire un programme cohérent de développement des compétences du *top management*, il faut avoir une idée claire de la stratégie de l'entreprise compte tenu de l'évolution de son environnement, afin de préparer les futurs *leaders* aux défis de demain et non à ceux d'aujourd'hui (Voir notamment : *High Flyers*, Morgan W. McCall Jr. Harvard Business School Press, 1998). Dans ce contexte, que peut-on dire des ruptures introduites par la *nouvelle économie* ?

La **Troisième révolution managériale** modifie les rôles du *top* et du *middle management* dans le cadre d'une logique d'innovation adaptée à la *nouvelle économie*. Nous avons vu au chapitre 2 comment s'était développée une *technocratie informatisée* se conduisant en « grands sachants ». Les nouveaux comportements des clients et les nouvelles façons de produire ont rendu obsolètes les solutions imposées par cette technocratie éloignée du terrain actuel de la compétitivité.

Dans ce contexte, comment le *top management* doit-il conduire le changement pour :

1) remplir sa mission qui est de faire s'approprier et résoudre les problèmes au niveau pertinent ;

2) organiser la mutation de la *technocratie informatisée* afin qu'elle se mette au service de l'entreprise réussissante selon des modalités à préciser, ou en cas de résistance ou d'incapacité à évoluer, supprimer les éléments de blocage.

Première grande mission du top management en action : faire s'approprier et résoudre les problèmes au niveau pertinent

Comment procéder ? Cinq principes d'action s'imposent.

1) Mettre l'entreprise en situation d'agir, c'est-à-dire donner la « bonne réponse au bon moment au bon client ». Quelle organisation mettre en œuvre ? La solution est d'organiser l'*empowerment* du *middle management*, ce qui suppose que les cadres intermédiaires s'approprient le *business model* de l'entreprise (modèle de croissance qui définit le métier de l'entreprise, sa place dans la chaîne de valeur ainsi que le partage de cette valeur entre l'entreprise et le client) et ses objectifs afin d'agir en pleine responsabilité au quotidien, en mobilisant les moyens appropriés, juste nécessaires. Le *middle* de l'*entreprise réussissante* ne fait remonter les problèmes que s'ils sont trop complexes à appréhender ou si les moyens nécessaires à leur résolution ne sont pas réunis à son niveau.

Pour atteindre cet objectif, le *top management* doit s'impliquer dans des séminaires de travail avec le *middle management*. Ces séminaires doivent être conduits professionnellement de sorte que le *middle* en soit l'acteur conjoint avec le *top* et non un spectateur soumis au spectacle des grands chefs faisant partager leur « science sublime » à des « médiocres » qu'il faudrait motiver de l'extérieur et plus précisément d'en haut. Notons que si le *top* a bien défini, en commun avec lui, les missions du *middle* et les moyens mis à sa disposition, lorsque le *middle* est conduit à devoir demander des moyens supplémentaires, c'est que la décision de les allouer revient par nature au *top*, soit parce que le niveau de moyens requis a des implications stratégiques ou qu'il remet en cause le *business model* de l'entreprise.

Pour que le *middle* soit serein face à ce choix, qui est grave, de garder à son niveau la solution du problème, avec la responsabilité qui en découle en cas d'échec, ou de faire appel à d'autres ressources, avec le risque de se voir reproché d'avoir indûment « fait remonter le problème », il est essentiel de donner à toutes les personnes en contact avec le client les clés de la compréhension de la nature de la demande du client.

La formation du *middle*, qui ressort du *knowledge management* car c'est le fonctionnement même de l'entreprise y compris dans sa relation avec le client qui est en jeu, passe par l'accès à une triple compréhension :

- du *business model* de l'entreprise avec les options stratégiques fines poursuivies par le *top management* ;
- de la définition des besoins du client au sens et à l'aune de ce même *business model* et des meilleures pratiques, constamment réactualisées, par rapport à chaque tâche ;
- des règles du jeu de la création de valeur au sein de l'entreprise : qui fait quoi, comment, en relation avec qui, dans quels délais, sous quels contrôles, avec quel système de récompenses et de sanctions ?

Cette triple compréhension doit conduire à une capacité opérationnelle de l'entreprise et de chacun de ses membres qui fait que toute l'entreprise est agissante car chacun s'est approprié, à son niveau et selon ses moyens, les objectifs du tout. Chacun est porteur de l'ADN de l'entreprise dans chaque action, ce qui fait de chaque acteur de l'entreprise un *individu ADN* : dans chaque partie agissante de l'entreprise, le tout est représenté.

2) Etre capable de communiquer sur les difficultés, c'est-à-dire organiser le partage des difficultés rencontrées et non résolues comme source nouvelle de connaissance sur laquelle il faut capitaliser selon des procédures elles-mêmes répertoriées.

Communiquer sur les difficultés, c'est à la fois les traiter en interne lorsque c'est possible, ou le faire en liaison avec l'environnement de l'entreprise lorsque c'est nécessaire, en jouant sur la transparence et la sécurité de tous. Si l'entreprise détecte un défaut dans ses produits, elle doit en aviser le public avant que le problème ne devienne ingérable ou ne donne une image tellement négative de l'entreprise que sa survie en est menacée.

Communiquer sur les difficultés plutôt que d'en faire des objets cachés, c'est se donner des occasions de réfléchir ensemble, de progresser ensemble et de permettre à l'individu confronté à des difficultés de s'approprier des connaissances nouvelles.

3) Se réjouir de la réussite de l'autre, c'est-à-dire accepter que la réussite de ceux qui sont en contact avec le client est le fondement de la réussite de l'entreprise plutôt qu'une menace pour leurs supérieurs. Plus généralement, il faut apprendre à se réjouir des bonnes nouvelles, comme à gérer les mauvaises. Accepter la réussite de l'autre, c'est aussi donner de l'information pertinente à ceux qui sont en situation d'agir en contact avec le client. Dans l'ancien paradigme du pouvoir, détenir de l'information c'était rendre l'autre dépendant et donc soumis. Dans le nouveau paradigme, partager l'information c'est rendre l'autre efficace et donc devenir la source de l'efficacité de l'autre. Dans la *nouvelle économie*, l'autorité s'assimile à la capacité de rendre l'autre capable d'agir de façon pertinente.

4) Etre capable de gérer la complexité, c'est-à-dire que le *top management* n'est plus caractérisé par sa capacité de faire mieux et plus dans le même ordre d'activité que ses subordonnés mais par la capacité de résoudre des problèmes d'une autre nature, plus complexe.

Niveaux de complexité à gérer par le *top management* :

- passer du un au multiple, par exemple par les organisations matricielles ou l'intégration d'une société dans une branche, ou l'industrialisation d'un *process* ou d'un produit initialement développés pour un client ;
- faire face à l'évolution de la demande de plus en plus différenciée (multiplication des niches, segmentation à outrance), faire évoluer l'offre en remettant à plat les procédures ;
- si le *middle management* est au contact du client et de ses demandes évolutives, le *top* doit avoir un champ de vision plus large.

5) Faire des paris, c'est-à-dire aller vite dans certains cas, sans avoir toute l'information requise, entrer ou sortir d'une niche avant qu'elle soit investie par d'autres ou qu'elle ne s'étiole. S'inscrire dans des mutations en cours, avant qu'elles ne soient stabilisées ou répertoriées, c'est prendre le risque de se tromper. Ne pas s'inscrire dans ces mutations, c'est prendre le risque de rater les trains du développement.

Deuxième grande mission du top management : comment mettre la technocratie informatisée au service de l'entreprise réussissante ?

La *technocratie informatisée* est cette partie rapprochée du *top management* qui s'est « bunkérisée » dans des procédures lui permettant de consolider son pouvoir. Il revient donc au *top* de casser ces procédures sous peine de mettre en jeu la survie de l'entreprise.

Il s'agit aussi et de façon non moins cruciale de « réallouer » les ressources humaines de haut niveau, qui étaient étouffées dans une logique de *technocratie informatisée*, vers la résolution de problèmes réels générés par les clients eux-mêmes. Le moyen à utiliser pour atteindre cet objectif consiste à réintégrer le *middle management* et les opérateurs dans la définition des problèmes et donc dans la recherche des solutions adaptées. Il faut casser le monopole accordé par défaut à l'ancienne *technocratie informatisée* de packager des réponses en solutions fermées sur elles-mêmes ; des solutions imposées au *middle management* et aux opérateurs qui devaient les mettre en œuvre même s'il était clair que les clients étaient insatisfaits.

Il est urgent de mettre en place les formations adaptées pour faire évoluer les représentations des collaborateurs souvent très qualifiés de la *technocratie informatisée* mais qui doivent réapprendre à s'inscrire dans un nouveau *business model*, à travailler en coopération avec les opérationnels, et à mesurer leur pouvoir, non pas à l'aune des informations et des ressources qu'ils thésaurisent, mais en fonction des informations pertinentes qu'ils disséminent judicieusement et des ressources qu'ils allouent avec discernement afin de participer à la résolution des problèmes complexes.

Trois méthodes sont envisageables : la création de groupes de travail transversaux (afin de sortir les cadres concernés de leur hiérarchie) ; s'organiser pour faire en sorte que ces cadres changent d'emploi tous les deux ans pour multiplier les expériences ; mettre en place des programmes de formation lourde selon la démarche évoquée plus haut pour les cadres dirigeants.

C'est en rendant possible la résolution des problèmes au niveau pertinent et en utilisant différemment les ressources de la *technocratie informatisée* que le *top management* retrouve sa capacité de s'affirmer comme architecte de l'avenir. Non pas l'oracle d'un avenir prédéterminé et planifié mais l'architecte d'un avenir qui facilite la transformation de l'entreprise-baleine en un banc de poisson capable de se retourner sur lui-même. Car on ne peut pas prévoir les bouleversements que vont entraîner le génie biologique, la physique quantique ou les technologies numériques.

Chapitre 5 : Le changement durable et la logique de l'œuvre

Alors que tous parlent de changement et de rupture, il apparaît pertinent de s'interroger sur la notion de permanence, sur ce qui dure. Sur ce qui permet de bâtir la communauté et de transmettre les valeurs qui nous sont chères. Car seul le développement durable peut rassembler. La « durabilité » est le fruit d'un renouvellement permanent et non le signe d'une pétrification : on appelait durable ce qui résistait au temps ; *est durable aujourd'hui ce qui évolue avec le temps, voire avec un temps d'avance.*

La logique du changement

Face à un monde en bouleversement constant, on a forgé, pour se rassurer, une quasi-idéologie du changement. Le changement est devenu une fin en soi. Tout se passe comme s'il fallait se dépêcher de changer avant que le charme (le profit) ne cesse d'agir. C'est ainsi que l'on parle actuellement des marchés Cendrillon. Dans tous les cas, l'attraction du profit, validée par l'apparition brutale de nouvelles fortunes accumulées en un temps record fait tourner beaucoup de têtes, même celles qu'on croyait bien faites.

Et pourtant l'entreprise ferait mieux de se préoccuper de ce qui n'a pas changé depuis des siècles et qui ne changera probablement jamais. Une permanence qui gravite autour de cette question clé : « Y a-t-il concordance entre l'offre proposée et ce que recherchent les clients solvables ? ». Voilà une question simple qui doit mobiliser toutes les ressources d'énergie et d'imagination de l'entreprise. Très souvent l'offre proposée et la demande recherchée ne coïncident pas ou plus. Cela vaut bien qu'on coupe la tête à quelques dirigeants (Pfeiffer chez Compaq ou Nilson chez Ericsson) pour n'avoir pas su respecter cette constante.

Si le changement est devenu un objet plutôt qu'un instrument, c'est qu'il a cessé d'être naturel. Lorsque le changement est un moyen pour réaliser une œuvre commune, il s'opère sans être conceptualisé ou même rendu conscient. Il devient une « compétence intrinsèque ». Mais lorsque le changement est imposé de l'extérieur à un corps social qui n'en perçoit plus que les menaces, le changement devient objet d'étude, voire l'objectif de l'entreprise. L'esprit d'entreprise a façonné la société depuis toujours. Les entrepreneurs ont de tout temps été des acteurs du changement. Ils se sont de tout temps préoccupés de répondre le mieux possible aux demandes de leurs clients. Cette attraction du « toujours mieux » (à ne pas confondre avec celle du toujours plus) est pour une large part sous l'influence des progrès techniques et scientifiques. Il est vrai que la numérisation donne l'impression d'une brusque accélération des choses. Ne dit-on pas chez Cisco Systèmes que l'on fera 50 % du chiffre d'affaires d'une année avec des produits qui n'existaient pas au premier janvier de la même année ?

Il convient cependant d'analyser pourquoi les différents acteurs de l'entreprise ne voient dans le changement qu'une menace, afin de modifier cette perception, si ce n'est qu'un problème de perception. S'il s'agit d'une vraie menace, il faut évidemment traiter le problème lui-même, en conduisant notamment une analyse des comportements et des intérêts des différents acteurs de l'entreprise.

Au moment où le changement lui-même s'accélère, il est temps de poser une question insidieuse : le changement pour quoi faire ? Car si le changement est un instrument, il ne saurait être la fin poursuivie par l'entreprise.

La logique de l'œuvre

Quelle est donc la fin de l'entreprise qui tout en incorporant la maximisation instantanée de la valeur pour l'actionnaire, prépare aussi la maximisation de cette valeur sur le long terme en associant le personnel, les clients et l'environnement à ses succès ? Quel est le fondement de la performance compétitive durable qui donne la pérennité à l'entreprise ?

Comme annoncé précédemment, notre réponse est claire et directe : **c'est l'œuvre**.

L'œuvre, au premier degré, c'est ce qui reste, qui survit, qui laisse une trace.

L'œuvre est aussi l'action humaine jugée au regard de la loi religieuse ou morale.

L'œuvre est le résultat sensible (être, objet, système) d'une action ou d'une série d'actions orientées vers une fin ; ce qui existe du fait d'une création, d'une production.

L'œuvre est l'ensemble organisé de signes et de matériaux propres à un art, mis en forme par l'esprit créateur (Robert).

L'œuvre de l'*entreprise* dans la *nouvelle économie* est donc à la fois, ce qui laisse une trace positive fruit d'un acte créateur assumé, un ensemble organisé de signes pour les générations qui suivent, une action humaine s'inscrivant dans la durée qui accepte d'être jugée au regard de la loi morale.

Quels sont les ingrédients de la réussite pérenne qui fonde l'*entreprise réussissante* ? Plutôt que de chercher à dériver une solution spéculative qui sera nécessairement critiquable, nous avons pris le bâton du pèlerin pour aller nous entretenir avec des personnes qui selon nous sont dans un parcours de création d'une œuvre. Des hommes et des femmes issues de la politique, du sport, de la culture, de la littérature, de l'humanitaire, de l'événementiel et du monde de l'entreprise elle-même, ceux que l'on a nommés en tête de livre. **En s'appuyant sur les caractéristiques de la réussite pérenne au niveau individuel on peut proposer une démarche de réussite durable adaptée à l'entreprise.**

De ces conversations toujours riches et empreintes de la gravité associée au regard que l'on porte sur soi-même alors que l'on est toujours à l'œuvre, ont émergé cinq éléments communs à la réussite pérenne.

Tout d'abord, la « **volonté d'être** » **en fonction d'un dessein**. C'est un véritable point fixe, une étoile polaire que nos témoins avaient tous non seulement dans le propos mais aussi dans le regard. C'est une capacité à exister en tant que personne responsable de son parcours, capable de prendre le masque qui convient à chaque instant pour agir dans le monde réel sans jamais perdre de vue l'étoile qu'on s'est donnée.

Attention ! Il ne faut pas confondre avoir un point fixe sous la forme d'une étoile polaire et être engoncé dans un projet formalisé. Nos témoins ne s'encombrent pas d'un projet rigide : l'étoile est au-dessus et leur donne simplement la direction. Ils sont par contre en prise directe et permanente avec le monde qui les entoure, prêts à explorer une piste si celle-ci apparaît et prêts aussi à faire demi tour si cette piste ne répond pas à leur attente.

Le partage est un mot clé pour eux. Auchan, par exemple, a bâti son développement sur le « partage du pouvoir, du savoir et de l'avoir » et ceci n'est pas un slogan, ceci dicte la vie au quotidien.

La volonté d'être est cette capacité de vivre au quotidien avec rage car on n'a pas de temps à perdre si l'on veut avoir une chance de réaliser son œuvre. Cette volonté d'être est un pouvoir d'attraction, qui aimante, qui fait envie. Cette rage de vivre au quotidien n'a pourtant rien à voir avec la consommation de l'éphémère de tous ceux qui se vivent dans un monde de « no future », comme des handicapés du futur. Cette rage de l'instant n'est pas destructrice mais justement tournée vers l'œuvre à accomplir.

Ceux qui ont cette volonté d'être ne font aucune économie d'eux-mêmes, exploitant toutes leurs ressources. Ils ne sont pas centrés sur eux-mêmes mais sur le dessein qu'ils veulent faire partager. Car le dessein n'a de sens que s'il s'inscrit dans une histoire partagée.

Et c'est le dessein inscrit dans une histoire partagée qui les protège de sombrer dans une « volonté d'être » centrée sur soi, jusqu'à l'excès de l'arrogance.

Ensuite, la **capacité à aller jusqu'au bout**, à ne pas s'arrêter en chemin : « L'étoile qu'ils se donnent est la boussole de leur vie ». La formulation peut sembler naïve mais la réalité qu'elle recouvre est très puissante. C'est la représentation que l'on s'est donnée de l'avenir qui guide les actions au quotidien.

La volonté d'être est leur moteur. C'est leur source de jouvence et d'agilité intellectuelle. Il faut donc ne jamais trop peser le pour et le contre « car c'est toujours le contre qui gagne ». Ils acceptent des succès intermédiaires, mais ils ne s'en contentent pas.

Mais aller jusqu'au bout, en fonction d'un dessein, et sous le regard de la loi morale, protège de l'excès du « jusqu'auboutisme » forcené, voire du suicide du *kamikaze*.

Puis, l'**aptitude à s'enrichir de l'expérience**. Pour eux, les échecs n'existent pas car ils sont dans l'humilité de l'apprenant. C'est l'inverse des « grands sachants ». Les échecs sont des épreuves qui construisent l'expérience et non une fin de parcours ou un point de blocage. Pour être encore plus précis, c'est leur capacité à aller jusqu'au bout en dépit des obstacles qui leur donne la force de considérer les échecs comme des épreuves. Ils ont ainsi une capacité à se ressourcer dans l'épreuve. Ils ne tombent pas dans l'accusatif qui nomme les autres comme causes de l'échec, dans une vision statique de l'échec. Ils veulent comprendre les raisons de l'échec pour le dépasser, pour décrypter les liens de causalité, pour casser l'inhibition de l'erreur vécue comme une faute.

Tous nos témoins ont été ainsi capables de parler de leurs échecs, de les décrire, de montrer comment ils ont pris de la distance par rapport à ces échecs. Il ne convient pas ici de relater ces occurrences. Le point décisif est qu'ils ont tous insisté sur le fait qu'au milieu des épisodes d'échec, ils ont toujours fait l'effort de relever la tête pour regarder à nouveau la ligne d'horizon ou plutôt leur étoile afin de reprendre courage et justement de ne traiter l'échec que comme un épisode. Ce qui n'enlève rien à la douleur de l'échec ou à la violence des coups reçus. Nos témoins ne sont pas des *super-men* ou des *super-women*, même s'ils sont exceptionnels. **Leur force réside presque entièrement dans cette capacité à se ressourcer dans le point lumineux qu'ils se sont donnés à eux-mêmes.**

Il ne s'agit pas de prendre l'erreur à la légère, voire de persévérer dans l'erreur. L'erreur est toujours « consommatrice d'énergie » et il faut se préserver de ses effets. L'échec et l'erreur ne sont des occasions de rebond que pour ceux qui ont l'œil vissé sur « l'étoile du berger ». Plus fondamentalement encore, il n'y a pas de réussite sans « étoile-objectif » et c'est cet objectif scintillant qui conduit à l'œuvre.

L'**aptitude à transposer les façons de voir et d'agir**, d'un pays à l'autre, d'un domaine à l'autre : on est au cœur du **processus d'innovation**. Les hommes et les femmes capables d'innover ne sont pas nécessairement les plus « géniaux », mais ce sont ceux qui derrière les apparences saisissent les correspondances, les vérités fondamentales qui fondent la réussite dans tous les actes de la vie de l'homme et de l'entreprise.

Ceux qui voient les correspondances sources d'innovation sont comme des métis de la modernité. Ils sont comme le vent qui porte le pollen pour féconder la nature. Ils sont les catalyseurs de l'innovation. Ils sont la semence de la créativité.

La **rapidité et la pertinence de l'exécution** sont un point commun de tous ces acteurs à l'œuvre. L'humilité de l'apprenant leur est familière, mais avec la rage du prédateur qui doit frapper mortellement sa proie pour survivre. Construction pas à pas vers l'œuvre mais avec, au moment décisif, la capacité à faire le saut décisif, à donner le coup de grâce. Des « apprenants besogneux » mais qui laissent s'exprimer un instinct animal qui se cache parfois derrière l'élégance de l'animal prédateur. Ils sont donc paradoxaux, mais ils l'assument voire se nourrissent de ce paradoxe.

Insistons sur ce point. Terrible erreur que de vouloir supprimer les paradoxes et de tout ramener à un parcours linéaire. Les paradoxes sont comme les pôles positif et négatif qui produisent ensemble l'étincelle et l'énergie. Vouloir ramener les deux pôles opposés à un parcours linéaire, c'est même physiquement se prendre une décharge électrique

« en pleine poire ». Accepter la bi-polarité d'opposition, le paradoxe en marche, c'est en faire le moteur d'une « démarche de lumière ».

Agir vite est donc une vertu si l'action s'inscrit dans un parcours vers l'œuvre. Car il faut éviter l'action inconsidérée, produit de la cervelle vide. Le plus grand danger est l'action qui ne s'inscrit pas dans un parcours, une immédiateté de l'action qui conduit à la noyade dans l'action.

Explicitons encore par une image. Quelle est la différence fondamentale entre l'homme et l'animal ? C'est la capacité du premier à **se projeter dans le futur** et donc à imaginer les conséquences des actes commis au quotidien. C'est ainsi que l'homme a inventé la morale, comme guide de l'action considérée sous l'angle de ses conséquences. C'est en imaginant ce que devient l'homme à la mort du corps, qu'il invente la spiritualité comme devenir de l'esprit. Hors la morale et la spiritualité, rien ne nous sépare de l'animal.

C'est en voulant le futur que nous sommes en permanence capables d'interroger le présent, avec la grille de lecture de ce que demandent nos clients, et que nous trouvons l'énergie du félin, cette énergie qui permet de dépasser les échecs, de transcender les obstacles et d'accomplir l'œuvre.

L'heure de l'insurrection contre le court terme est venue. Arrêtons de subir le changement pour apprendre à le conduire. Notre pari est que si suffisamment de *managers* adoptent un comportement tourné vers la réussite pérenne au sein de l'entreprise, l'entreprise elle-même en sera transformée fondamentalement pour devenir une entreprise structurée autour de la réussite pérenne.

Les cinq caractéristiques issues de l'observation anthropologique de nos acteurs à l'œuvre ne donnent pourtant pas une 'démarche à suivre' alors même qu'elles répondent parfaitement aux besoins de la *Troisième révolution managériale*. Mais ces cinq caractéristiques sont le socle de valeurs sur lesquelles doit s'appuyer tout *management* pertinent, quel que soit son style.

Comment dériver une démarche à suivre au quotidien qui prépare à la maîtrise de ces cinq caractéristiques au service de l'épanouissement de chacun et de l'entreprise elle-même ?

Chapitre 6 : Comment faire ? La démarche féline

Il ne s'agit pas ici d'asséner de « nouvelles vérités » dans le monde du *management*, tellement de fausses promesses ont déjà été faites, tant de fausses recettes divulguées, tant d'impostures découvertes. Nous proposons simplement une « paire de lunettes » que chaque individu peut chausser si elle l'aide à mieux voir et à mieux piloter son quotidien professionnel dans ce monde qui manque désespérément de points de repères. Nous avons tous besoin de « guidelines » pour agir au quotidien. Derrière le clin d'œil et l'aspect apparemment simpliste de la déclinaison du « félin » se cache le fruit de l'expérience.

Félin. Ce mot évoque chez tous une forme de beauté, un mélange de douceur et de cruauté, un animal soigné, musclé, souple, complètement préoccupé à la fois de sa survie et de l'élevage de ses petits.

Quelle belle ressource analogique pour penser la mise en œuvre au quotidien des cinq caractéristiques de la réussite en direction de l'œuvre qui sont autant de valeurs et de compétences managériales :

- volonté d'être en fonction d'un dessein ;
- capacité à aller jusqu'au bout ;
- aptitude à s'enrichir de l'expérience ;
- aptitude à transposer les façons de voir et d'agir ;
- rapidité et pertinence de l'exécution.

Derrière les vœux qui peuvent rester pieux, la question obsédante est toujours la même : « Comment fait-on pour rendre les choses opérationnelles ? Comment fait-on pour que dans les gestes de la vie quotidienne, ces énoncés soient suivis par des actes ? ».

Personne ne peut contester leur pertinence, le problème reste leur mise en application ; mais après tout, n'est-ce pas cela *conduire le changement* dans l'entreprise ? N'est-ce pas créer un environnement pédagogique pour que les acteurs de l'entreprise puissent progressivement modifier la représentation qu'ils ont de leur activité de telle manière que, s'ils le souhaitent, ils puissent changer. Gérer le changement signifie aussi modifier des règles de vie et explorer des champs que le *management* doit absolument couvrir pour rester pertinent. Il nous est apparu que dans ce mot FELIN, il y avait de quoi répondre à une bonne partie de ces interrogations.

Quelle application peut-on en faire au service de l'entreprise réussissante ?

Des cinq caractéristiques de la réussite à leur mise en œuvre

L'image du félin, pour devenir démarche, peut aussi se décliner en acrostiche, en écho aux cinq caractéristiques de l'action tournée vers l'œuvre. Le F.E.L.I.N est ici une simple démarche pratique de mise en œuvre de ces cinq caractéristiques. Rien de plus. Mais si « ça marche pour vous, lecteur », quel formidable outil ! Il s'agit donc de s'amuser avec le mot Félin et de se servir des lettres qui le constituent comme étant susceptibles d'être des guides de l'action au quotidien.

• La « volonté d'être en fonction d'un dessein » conduit à se projeter dans un futur qui structure le présent et positionne le travail comme une valeur nourricière.

F comme principe féminin. Par opposition au principe féminin, les entreprises ont jusqu'à présent été dirigées selon un principe exclusivement masculin, alliant la raison, la force, la fermeté, la rigidité et l'esprit de compétition. Le monde complexe dans lequel nous sommes favorise des valeurs qui correspondent aux principes féminins du Taï Tchi qui sont l'intuition, la douceur, la souplesse, la flexibilité et la coopération. C'est le principe féminin qui conduit les salariés à s'identifier à l'entreprise, à partager avec elle ses succès comme ses défaites. Le principe masculin est en effet trop égocentrique et tourné vers la seule réussite personnelle.

Karl Hofstede, dans ses travaux sur les relations transculturelles a bien opposé les deux principes *feminity* et *masculinity*. Le principe féminin selon lui, consiste à considérer le travail d'abord comme une valeur nourricière avant d'être une valeur de réalisation personnelle fondée sur le partage et sur la mise en commun d'idées et de moyens. Derrière le F de principe Féminin il n'y a pas bien évidemment l'opposition homme/femme. Les femmes ont largement leur place dans l'entreprise comme partout ailleurs. Elles sont capables de lui apporter beaucoup. Très souvent, elles le font comme le font les hommes, avec les mêmes avantages et les mêmes défauts. Il y a cependant, statistiquement plus de chance pour qu'une femme s'inscrive dans une relation plus tournée vers la réussite collective qu'individuelle. Et puis pourquoi ne pas pousser jusqu'au bout la comparaison car le principe féminin évoque aussi celui de ventre, de reproduction. C'est dans le ventre de l'entreprise que se reproduisent les valeurs et les compétences de celle-ci. C'est dans le ventre que s'effectue l'échange et le partage. C'est dans le ventre que se crée et se fabrique le tout. Le principe mâle mis au service de la conquête peut être redoutablement efficace pour la croissance de l'entreprise. Ce même principe mâle peut être aussi terriblement destructeur lorsque deux individus au sein d'un même groupe sont animés par une agressivité de rivalité. Sont vite oubliés dès lors, les principes de partage, de projet d'entreprise, seule compte la réussite personnelle.

Telle entreprise centenaire, spécialisée dans le domaine de la sécurité a fait les frais de ce type d'attitude. Le directeur de production et le directeur des ventes étaient des rivaux. Ils ont donc conçu deux systèmes informatiques incompatibles entre eux. L'entreprise a tellement été florissante qu'elle a survécu pendant de nombreuses années à ce surcoût considérable. Mais dès que la croissance a faibli, en particulier avec l'arrivée d'une nouvelle technologie sur le marché, cette opposition d'hommes a été fatale à l'entreprise. Il ne lui reste quasiment plus que la notoriété de son nom, c'est pourquoi, nous ne la citons pas.

Tout *manager*, et en particulier tout *middle manager*, doit être sensible dans son fonctionnement à l'introduction de ce principe féminin de partage. La volonté d'être en fonction d'un dessein, lorsqu'elle est transposée dans l'entreprise, n'est pas la volonté de destruction du barbare mais la volonté de transmission de la femelle.

• Une « capacité à se projeter dans le futur et à aller jusqu'au bout » qui aimante et fait envie.

La réussite totale vient de l'engagement total. Avec tout ce que cela implique en termes d'autonomie, de travail en amont, de capacité à prendre des risques maîtrisés et assumés. Motiver n'est pas un produit qui se fabrique : il faut donner envie, s'identifier au but poursuivi. Donc le **E de l'envie de bâtir et de l'engagement**. Donner envie ne vient pas en plaquant des solutions sur des problèmes que l'on n'a pas posé. Donner envie c'est casser l'*apartheid* entre « grands sachants » et *incomprenants*. Donner envie n'est pas seulement l'expression d'une certaine relation au monde, mais cela va devenir une contrainte stratégique pour attirer les meilleurs collaborateurs. Dans la *nouvelle économie*, les entreprises dynamiques sont en compétition pour attirer les salariés à fort potentiel. Plutôt que de conduire des politiques de recrutement onéreuses, il est important d'attirer des candidatures spontanées de qualité, ce qui suppose que l'image technique mais aussi sociale de l'entreprise soit bonne. L'entreprise qui fait envie est celle qui favorise les *job enrichment* et *job enpowerment* de ses salariés. Faire envie, ce n'est donc pas étaler ses richesses, mais attirer les meilleurs à soi car c'est leur intérêt de rejoindre « cette entreprise qui fait envie ».

Faire envie, c'est, enfin, développer une politique de rémunération adaptée à la *nouvelle économie*.

Les nouvelles technologies de l'information et de la communication remettent au goût du jour le vieux concept de participation qui fut mis en avant dans les années 1960. Renouvelée sur des bases mieux assurées, cette politique apparaît aujourd'hui pertinente car si l'on pouvait enrégimenter des salariés à peine alphabétisés dans les usines de l'après-guerre, où les chaînes ne décrivaient pas seulement les processus de production mais parfois aussi les relations sociales, il apparaît vital d'associer le capital et le travail à la réussite des entreprises des années 2000. En effet, les salariés hautement qualifiés sont devenus un élément décisif du processus de production dans les entreprises technologiques ; de plus, dans la *nouvelle économie* où les clients sont souvent directement en relation avec des opérateurs qualifiés, les salariés sont simultanément au cœur du processus de production et du processus commercial. En outre, dans de nombreuses PME, on ne peut pas toujours payer les salaires correspondant aux qualifications des salariés qui doivent devenir partenaires du risque pris dans le développement de nouvelles entreprises ou de nouveaux produits et services.

L'association du capital et du travail est donc rendue nécessaire par le niveau de formation élevé des salariés et par le partage du risque pris dans le développement d'activités liées aux nouvelles technologies. Pour le dire plus directement encore, les salariés qualifiés d'aujourd'hui ne peuvent pas simultanément espérer une forte valorisation de leur valeur ajoutée et exiger que leur rémunération soit intégralement un coût fixe pour l'entreprise.

Comment rendre opérationnelle cette association du capital et du travail si elle est aujourd'hui incontournable ? Trois axes doivent être privilégiés dans la mise en place d'une nouvelle politique de rémunération globale des salariés dans la *nouvelle économie*.

Premier axe : associer financièrement les salariés à la réussite de l'entreprise. Il existe déjà, en France, la participation aux bénéfices, obligatoire pour les entreprises de plus de 50 salariés, et l'intéressement, facultatif et selon des critères négociés, ainsi que l'épargne salariale qui permet de placer sur un plan d'épargne entreprise (PEE) la participation, l'intéressement ou des versements volontaires des salariés. Il faut rendre ces mécanismes plus attractifs et les ouvrir de façon incitative aux entreprises de moins de 50 salariés. Par exemple, en allongeant la durée des plans d'épargne entreprise et en augmentant les possibilités d'abondement par les entreprises. Il faut également rendre le système des *stock-options* plus transparent et l'étendre à un plus grand nombre de bénéficiaires.

Deuxième axe : permettre aux salariés d'échanger du temps contre de l'argent, et du pouvoir d'achat d'aujourd'hui pour du pouvoir d'achat demain. Les comptes épargne temps, qui vont se multiplier en France avec la loi sur les 35 heures, devraient pouvoir être échangés pour de l'épargne salariale. Par ailleurs, il devrait être possible de prolonger l'épargne salariale en épargne-retraite.

Troisième axe : Dans un monde où le contrôle du capital détermine la localisation des centres de décision et les stratégies des donneurs d'ordre dans la chaîne de valeur ajoutée, il est essentiel que les salariés puissent participer à la stabilisation du capital. Mais il faut éviter que les salariés aient une part trop importante de leur patrimoine investie dans le capital de l'entreprise qui les emploient afin de ne pas aboutir à une trop grande concentration des risques.

La capacité à se projeter dans le futur et à aller jusqu'au bout, lorsqu'elle est transposée dans l'entreprise, donne à cette dernière la capacité d'attirer et de motiver les meilleurs qui rechercheront dans l'entreprise cette capacité à entrer dans l'avenir, en y « trouvant humainement et financièrement leur compte ».

• Une « aptitude à s'enrichir de l'expérience » en décryptant les liens de causalité, en construisant les liens de l'action.

L'entreprise est une communauté d'hommes et de femmes qui doivent s'engager dans la durée pour réussir ensemble, en apportant une vraie valeur à leurs clients. Il faut donc créer des liens puissants entre toutes ces personnes. Pas des liens de politesse façon relations publiques, mais des « **liens constitués en action** » : les haubans tiennent le mât du bateau, le tablier d'un pont, l'immense toile d'un chapiteau. Plus que leur force individuelle, c'est la qualité des liens et la façon dont ils sont assemblés qui font la solidité de l'ouvrage. Et c'est ici que le *middle management* joue un rôle décisif : c'est lui qui transforme au quotidien des individualités ayant leurs envies et leurs problèmes propres, en forces tendues vers une réussite collective. Le *middle management*, ce sont les haubans qui tiennent le mât du bateau et le tablier du pont. Même si le capitaine et les marins sont bons, même si les piles du pont sont solides, sans le mât du bateau et les voiles qu'il porte, sans le tablier du pont, il n'y a pas de vitesse et il n'y a pas de franchissement. Donc le **L** des liens constitués en action.

Les liens dans la *nouvelle économie* symbolisent également les chaînes de connivence intellectuelle qui, dans l'économie du savoir, relient tous ceux qui s'intéressent au même sujet et qui s'entraident pour trouver ensemble des solutions à des problèmes complexes. C'est cette multiplicité constituée en réseau qui permet de répondre à la complexité. Il faut tisser la toile des compétences par les services rendus entre « passionnés d'un domaine de réflexion ou d'action », services qui ne s'inscrivent pas nécessairement dans l'économie monétaire mais qui n'en sont pas moins utiles. Le multiple ne peut répondre au complexe que si s'instaure la logique du lien.

• « L'aptitude à transposer les façons de voir et d'agir ».

Pour réussir, il faut continuellement inventer de nouvelles façons de voir, de produire, de servir et pour cela développer la capacité à saisir les correspondances. Donc le **I** d'invention, d'innovation et d'initiative.

L'invention n'est toutefois pas le propre de quelques « sachants ». Inventer c'est encourager le droit à l'essai et l'erreur maîtrisés. C'est donc faire confiance aux capacités d'intelligence de tous les collaborateurs de l'entreprise. Exemple : il fallait réduire le temps de fermeture d'une cimenterie pour maintenance lourde. Durée initiale prévue : deux semaines. Dans cette usine américaine qui n'avait pas la « chance » d'avoir de « grands sachants sachant tout », on ouvre un concours d'idées aux simples ouvriers. Et c'est l'un d'entre eux qui trouve une solution permettant de diviser par deux le temps d'immobilisation de l'outil industriel. Est-on prêt à ouvrir partout des concours d'idées aux soi-disant « incomprenants » ? ! Rappelons qu'il n'y a pas d'invention sans « gestion affective » de l'erreur et sans récompense de la bonne idée en évitant qu'elle soit « piquée » par les échelons intermédiaires qui s'en attribuent les mérites.

La « rapidité et la pertinence de l'exécution » en prenant son environnement en compte et sans consommer plus d'énergie que nécessaire pour atteindre l'objectif.

Pour réussir, il faut intégrer et s'intégrer à la nature des hommes, des choses, et se fondre dans la Nature pour la transformer sans l'altérer. La Nature n'est pas tendre. Le lion mange la douce gazelle, qui mange l'herbe. La chaîne est sans fin : il faut la connaître sans jamais la briser. Mais si la Nature n'est pas tendre et si le félin tue pour se nourrir, il ne tue jamais plus que nécessaire. En tous cas, jamais pour le plaisir. Au contraire de l'homme.

Les systèmes auto-organisés pour la réussite, parce que partageant le même dessein, sont des systèmes naturels au sens où l'organisation est en phase avec le dessein, voire découle de lui. Donc le **N** de la vraie nature des hommes et des choses, une Nature dans laquelle nous ne sommes pas des propriétaires du présent mais des passagers vers l'avenir.

La rapidité et la pertinence d'exécution dans son environnement, lorsque cette aptitude est intégrée à la vie de l'entreprise, conduit à une économie de moyens permettant d'intégrer la « finitude » des moyens sur une Terre qui est un système fermé. Les pollutions des uns sont les catastrophes des autres. La Nature n'est pas tendre, mais elle est unique. Il ne faut rien lui prendre qu'on ne lui redonne d'une façon ou d'une autre, pour le bien de tous.

Il faut donc être et penser F-E-L-I-N au quotidien pour maîtriser les cinq caractéristiques de la réussite tournée vers l'œuvre. Pour entrer dans la *Troisième révolution managériale* qui conduit à l'*entreprise réussissante* dans la *nouvelle économie*.

Ce modèle du FELIN est un guide de l'action au quotidien et du *management* au quotidien. C'est une *check-list* avant décollage dans l'action. Il faut toujours se demander si chaque décision et action est en harmonie avec les valeurs affichées par l'entreprise et avec les besoins de son environnement. Il s'agit ainsi de faire partager et de mettre en œuvre au quotidien, par réflexe conditionné si nécessaire, cette approche de l'harmonie de l'action au service de l'œuvre.

Nous donnons dans l'annexe des exemples de ce modèle explicatif simple.

Conclusion

La **Troisième révolution managériale**, qui répond à la Troisième révolution économique en cours, va transformer les rôles respectifs du *top* et du *middle management* dans l'entreprise. Mais il serait illusoire de penser qu'elle n'aura pas d'effet sur la société démocratique et les organisations politiques, syndicales, sociales et culturelles.

La chute du militantisme dans les sphères politique et syndicale en Europe et particulièrement en France, la démotivation des citoyens qui se traduit par une hausse de l'abstention aux élections dans l'ensemble des sociétés démocratiques, et la montée des violences et des incivilités montrent qu'il est urgent de passer de la « démocratie barbare » à la « démocratie réussissante », en adoptant une démarche féline généralisée.

Pour prendre un seul exemple, les militants des partis politiques et des syndicats sont dans la position du *middle management* au sein de l'entreprise. Pris entre le marteau des programmes décidés par les chefs de parti et l'enclume du rejet de la politique par un nombre croissant d'électeurs, ils ont quitté en masse des organisations qui valorisent les actions des chefs qui se conduisent comme des « factionnaires » plutôt que comme des *leaders* ayant pour mission de bâtir une œuvre au service de la société.

Pour tous les mondes de la vie en société, au-delà de l'entreprise, il faut définir **l'œuvre de l'*organisation réussissante* dans la société démocratique comme :**

- **ce qui laisse une trace positive fruit d'un acte créateur assumé ;**
- **un ensemble organisé de signes pour les générations qui suivent ;**
- **et une action humaine s'inscrivant dans la durée qui accepte d'être jugée au regard de la loi morale.**

Au sein de l'*organisation réussissante*, les responsables politiques, sociaux et culturels doivent opérer une mutation équivalente à celle du *top management* de l'entreprise en développant des *orientations stratégiques* accessibles aux responsables intermédiaires et « appropriables » par eux. Ces responsables intermédiaires doivent être dotés des moyens intellectuels, techniques et financiers leur permettant de répondre en temps réel aux problèmes posés par les « clients » de l'organisation. Les responsables intermédiaires doivent être en mesure de répondre aux attentes des « clients » de l'organisation dans le cadre des grandes options de cette dernière tout en faisant remonter l'information pertinente vers le sommet afin d'adapter les buts de l'organisation aux réalités du terrain.

La mobilisation des responsables intermédiaires suppose l'adoption par les *leaders* des organisations d'une **démarche participative** qui passe par une explication motivée des axes de développement de l'organisation avec prise en compte des remarques et avis des personnes concernées.

L'*organisation réussissante*, centrée sur l'œuvre et qui accepte d'être jugée au regard de la loi morale, est conduite à se projeter dans un futur qui structure le présent, un futur porté par les valeurs de la **femelle** nourricière. Elle donne **envie** de faire et de s'engager au sein de l'organisation car ses buts sont nobles et explicites : ils engagent toute l'organisation. L'*organisation réussissante* favorise ainsi le renforcement des **liens** entre ses membres et ceux vers qui elle dirige son action, tout en favorisant la prise d'**initiative** par ses membres. Elle se soumet ainsi à la vraie **nature** des hommes et des choses en adoptant une attitude de gardien de l'avenir plutôt que de propriétaire du présent.

Le modèle du félin, parce qu'il favorise les modernisations nécessaires résultant des évolutions des technologies, des comportements et des attentes, constitue une démarche pratique guidant les *entreprises* et les *organisations réussissantes* dans une action tournée vers une œuvre qui vaille la peine d'être léguée à nos enfants.

Annexe : Quelques exemples d'application du modèle du félin

A propos du mot FELIN

Le félin est beau. Peut-on oser associer le concept de beauté à la réalité si souvent décrite comme hideuse de l'entreprise ? Et si l'on va jusqu'au bout de cette question, peut-on s'interroger : qu'est-ce qu'une entreprise belle, qui fait envie, qui provoque les candidatures spontanées des jeunes diplômés et la confiance du client ? Car si instinctivement votre entreprise évoque la répulsion, comment peut-elle séduire le client ou le personnel ? Seules les entreprises attrayantes en termes de regard et d'émotion attireront les candidatures.

Le félin est doux au toucher ou dans le jeu avec ses petits, faisant « patte de velours », toutes griffes rentrées. L'entreprise n'est-elle pas aussi un espace de douceur, toutes griffes rentrées, c'est-à-dire de cette douceur à la frontière de la griffe mortelle. Douceur pour attirer un jeune collaborateur, pour « boucler » un accord « social », atténuer des travaux pénibles afin d'augmenter la productivité de ceux qui les exécutent. Etrange notion que celle de douceur ou de fluidité appliquée à l'entreprise.

Serions-nous brutalement devenus naïfs ou candides, au moment où la presse passe des articles à sensation sur le harcèlement sexuel dans l'entreprise, au harcèlement moral : le stress dans l'organisation continue de faire les beaux jours de psychiatres à recycler. Non, nous affirmons haut et fort que la fluidité a sa place dans l'*entreprise réussissante*. Ne fait-elle pas songer à celle de « flow », le dernier concept à la mode en *management* ?

A la suite de Maslow et de sa pyramide, avec les limites de cette analyse datée, le Hongrois Csikszentmihalyi oppose deux motivations. La motivation extrinsèque et visible, celle qui pèse sur les épaules du *Manager* et exclusivement sur lui. Le rôle du *Manager* est d'être avant tout motivant. La motivation intrinsèque liée au travail lui-même, celle qui est source d'épanouissement et de plaisir, « état de conscience caractérisé par une totale adéquation entre les informations perçues par l'attention et les buts établis par le *self* » (Citation de Amherdt, reprise par Sandra Bellier, *Le Monde*, 25 janvier 2000). Le *flow* procurerait un sentiment de plaisir à celui qui travaille, qui perd la notion du temps car il s'immerge dans l'action conduite en fonction d'objectifs précis, de sorte qu'il en oublie la peur de l'échec. Rendre les missions plus fluides, n'est-ce pas là une nouvelle priorité du *middle management* ? Il ne s'agit pas, bien évidemment, de diminuer le niveau d'exigence. La qualité doit toujours être au rendez-vous, associée à la productivité et au minimum de coût. Mais même en intégrant ces contraintes, il faut insister sur la notion de fluidité ou, comme disent les consultants à la page, de *flow* (3).

De même que les félins qui survivent sont musclés et sveltes, il importe que l'entreprise soit bien innervée et réactive, centrée sur la meilleure réponse possible à la demande du client (le « *core business* »). L'entreprise doit ainsi 'externaliser' les fonctions annexes afin de rester svelte. Externaliser n'est pas un acte critiquable quand il s'inscrit dans une démarche de recherche d'excellence dans le cœur de métier. Externaliser c'est aussi être sûr d'avoir en permanence le meilleur service possible au moindre coût. C'est un gage de qualité.

Les entreprises sous-traitantes sont en permanence remises en cause. C'est la contrainte motrice qui les oblige à être toujours au *top* de leurs performances pour satisfaire leurs entreprises clientes et donc les clients finaux. Donnons quelques exemples : tous les secteurs, et pas seulement les secteurs de la distribution, sont actuellement confrontés à la problématique du marketing de site. Au-delà du produit vendu, l'endroit dans lequel il est vendu devient au moins aussi important. Si le lieu de vente est un espace de peine et de misères

---

(3) : On ne peut qu'être frappé par les parallèles entre cette approche du *flow* et deux des caractéristiques issues de notre analyse : la « volonté d'être » en fonction d'un dessein et la rapidité et la pertinence de l'exécution provoquant un sentiment de plénitude. Mais naturellement il ne faut pas que le *flow* devienne un instrument de manipulation. Or l'intérêt de notre approche par l'œuvre est de mettre les caractéristiques de la réussite au service de l'œuvre obéissant à la loi morale. Entre l'approche par le *flow*, riche mais qui peut conduire à la manipulation, et notre approche par les cinq caractéristiques de l'action tournée vers l'œuvre, il y a toute la différence entre le dressage du super-animal et l'accomplissement de l'homme libre.

alors la tentation d'y échapper par le *net* sera grande. Si c'est un espace de plaisir et de fête, alors les consommateurs seront présents.

Etre soigné ! Observons le marché du vêtement de travail qui connaît une croissance de plus de 15 % tous les ans depuis cinq ans. Dans les métiers de hautes technologies, les précautions corporelles et vestimentaires ont toujours été de mise. Quoi de plus normal qu'elles atteignent maintenant des secteurs plus classiques. Les entreprises qui « surfent » sur la vague du vêtement de travail sont celles qui associent la sécurité et le *design* dans leurs produits.

Quant à la sveltesse, un de nos anciens ministres a réactualisé l'image du mammouth récemment, avec comme sous-entendu ses rigidités, ses lourdeurs, son archaïsme, son incapacité à changer. Souhaitez-vous que votre entreprise ait l'embonpoint et la puissance passive du mammouth ou la sveltesse et l'agilité du Félin ?

La démarche féline

Comme indiqué précédemment, le félin, pour devenir démarche, peut se décliner en acrostiche, en écho aux cinq caractéristiques de l'action tournée vers l'œuvre.

Le F.E.L.I.N est ici une simple démarche pratique de mise en œuvre des cinq caractéristiques de l'action au sein de l'*entreprise réussissante*. Rien de plus. Mais si « ça marche pour vous, lecteur », quel formidable outil ! Il s'agit donc de s'amuser avec le mot Félin et de se servir des lettres qui le constituent comme étant susceptibles d'être des guides de l'action au quotidien.

Deux grilles vierges sont offertes pour que vous les complétiez vous-mêmes. Vous pouvez appliquer la démarche féline à tous les domaines : politique financière, gestion des stocks, investissement à l'étranger...

Mission et vision	
F comme Principe Féminin	- Votre organisation dispose d'une mission clairement définie qui assure la cohérence des efforts de tous. Cette mission est transmise à tous les échelons de l'organisation. Des efforts sont entrepris pour la faire partager. - N'hésitez pas à repenser et à réinventer les stratégies fondamentales de l'organisation en liaison avec le middle management.
E comme Envie	- Votre organisation a défini clairement sa mission. - Vous vous assurez que la mission et les valeurs se traduisent concrètement dans les activités courantes. - Je contrôle régulièrement cette traduction à l'aide d'un processus d'auto-évaluation.
L comme Lien	- Vous faites les efforts nécessaires pour maintenir et faire partager les valeurs de l'entreprise - Vous faites des efforts particuliers pour maintenir la cohésion du personnel autour des valeurs. - Des instruments de mesure sont prévus pour mesurer l'adhésion du personnel à sa mission et aux valeurs associées.
I comme Inventer	- Vous allouez des ressources suffisantes à la recherche développement, à l'innovation technologique et à l'amélioration des processus et méthodes de travail. - Votre organisation alloue au moins 7 journées par an et par employé de formation. - Vous vous attachez à produire une vision différenciée de celle de vos compétiteurs et qui est complètement tournée vers l'avenir. - Il vous paraît naturel d'inventer les règles du jeu. - Vous dites que l'innovation et la croissance sont l'essence première de votre organisation. - Vous considérez que le rôle de dirigeant est d'être l'architecte du futur.
N comme Naturel	- La mission de l'entreprise respecte son environnement social et politique - Un plan coordonné est mis en œuvre pour assurer le développement personnel des employés.

Organisation du travail	
F comme Principe Féminin	- Vous disposez des niveaux hiérarchiques justes nécessaires et seulement ceux-là. - A chacun de ces niveaux correspond un niveau de complexité de problèmes à résoudre.
E comme Envie	- Il ne se passe pas une année sans que les processus de production et les méthodes de travail soient simplifiés. - Vous accordez à vos gestionnaires l'autonomie qu'il convient afin d'être toujours à la recherche de simplification dans l'organisation du travail. - Vous cherchez toujours à accorder plus d'autonomie aux employés à tous les niveaux.
L comme Lien	- Les progrès accomplis dans les différents domaines sont concrètement mesurés. - Vous faites des efforts particuliers pour améliorer les relations avec les syndicats et les employés.
I comme Inventer	- Vos collaborateurs sont capables de résoudre des problèmes sans en référer aux supérieurs. - Ils ont parfaitement le droit de ne pas savoir, ils n'ont pas le droit de ne pas demander.
N comme Naturel	- Vos collaborateurs sont encouragés régulièrement à redéfinir l'organisation de leur travail. - Votre organisation donne à ses employés une information qui les entraîne à résoudre eux-mêmes les problèmes qu'ils rencontrent. - L'amélioration continue est une obsession pour tous.

Fonctionnement réseau	
F comme Principe Féminin	- Les orientations stratégiques ont été communiquées et « appropriées » par tous les responsables opérationnels. - Vous faites des efforts particuliers pour améliorer vos relations avec vos fournisseurs et partenaires. - Ceux-ci sont associés aux évolutions majeures de votre entreprise.
E comme Envie	- En cas de difficultés vos collaborateurs savent qu'ils peuvent faire appel à telle personne nommément désignée. - Vous encouragez vos collaborateurs à développer leur propre réseau à l'intérieur et à l'extérieur de l'entreprise.
L comme Lien	- La communication interne est une priorité. - Le travail en équipe est encouragé à tous les niveaux. - Le fonctionnement matriciel permet d'organiser des équipes transverses. - L'organisation en projets favorise l'apprentissage des fonctions et missions au sein de l'entreprise autant que la prise en compte de tous les déterminants d'une question posée.
I comme Inventer	- Les idées, les suggestions du personnel sont systématiquement recueillies et étudiées avec sérieux, selon un système codifié et transparent. - Tous les employés sont invités à exprimer leurs points de vue. - Vous avez communiqué vos orientations stratégiques à vos clients, à vos fournisseurs et à vos partenaires. - La mise au point de nouveaux produits ou de services s'appuie sur des équipes multifonctionnelles dont font partie certains clients.
N comme Naturel	- Vous avez conclu des alliances stratégiques avec des fournisseurs ou des partenaires. - Vous développez les réseaux socio-économiques et politiques au sein desquels s'insère l'entreprise.

Ressources humaines	
F comme Principe Féminin	- Une politique de formation est mise en œuvre afin de rehausser les compétences technologiques du personnel. - Votre politique de rémunération repose sur l'association des salariés à la réussite de l'entreprise.
E comme Envie	- Vous disposez d'une politique de recrutement et vous l'appliquez de manière rigoureuse. - Vous disposez d'une politique de sélection du personnel et vous l'appliquez d'une façon rigoureuse. - Vous disposez d'une politique de promotion et vous l'appliquez de façon rigoureuse. - Les fonctions et les responsabilités de chacun sont bien définies. - Votre politique de rémunération s'appuie sur le partage des fruits de la croissance. - Chacun possède une idée précise de ses fonctions et de ses responsabilités.
L comme Lien	- Toutes les pratiques de management sont codifiées de façon transparente. - Votre grille d'évaluation laisse une large part au travail en équipe et à l'esprit d'équipe.
I comme Inventer	- Une véritable politique de mobilité du personnel est mise en place et est l'objet d'une investigation rigoureuse. - Votre personnel sait qu'au sein de votre société, il progressera. - Le progrès permanent de tous est la condition du développement de votre entreprise.
N comme Naturel	- Vous mesurez, au moins une fois par an, la contribution du personnel à la performance globale de l'entreprise. - Des rencontres sont prévues au moins sur un rythme annuel pour évaluer la contribution de chacun à la performance globale de l'entreprise et en tirer les conséquences.

Le middle management	
F comme Principe Féminin	- Il partage et est porteur des valeurs de l'entreprise. - Il a compris et fait comprendre les enjeux de l'entreprise. - Il est fier de s'identifier à l'entreprise pour laquelle il travaille.
E comme Envie	- Il fait l'objet d'attentions spécifiques, en particulier, dans le partage des informations. - La politique de rémunération est clairement définie. - Responsabilisante et motivante, elle permet de partager les succès et les échecs.
L comme Lien	- Vous développez des actions permettant la « transversalité » des liaisons à leur niveau. - Vous permettez que des problèmes soient résolus à leur niveau sans implication de leur hiérarchie. - Vous favorisez les relations à leur niveau. - Vous développez une politique d'intéressement et d'actionnariat qui les lient à l'entreprise.
I comme Inventer	- Vous êtes très attentif à la qualité du recrutement des cadres, en particulier, dans le domaine du partage des valeurs. - Vous faites régner un souci de perfectionnement et de formation permanent. - Le *management* n'est pas une chose naturelle, elle s'apprend. - Vous leur apprenez à *manager* leur zone et à favoriser les « opérationnels entrepreneurs ».
N comme Naturel	- Vous les associez à toutes les grandes décisions. - Leur degré d'autonomie est proportionnel à l'intelligence du contrôle de leur activité. - Il est naturel que certains partent s'ils en ont envie, encouragez les à partir, vous conserverez les meilleurs.

Intégrer les jeunes	
F comme Principe Féminin	- Faites leur partager les valeurs de l'entreprise. - Développez le tutorat. - Il faut les associer aux enjeux de l'entreprise.
E comme Envie	- Attention, ils ont d'autres sources d'épanouissement que le travail. - Ils ont envie de s'épanouir et de progresser. Il faut définir avec eux les objectifs qui les motivent. - Ils sont capables de se passionner pour autre chose que l'argent. - Encouragez-les à rêver à leur futur..
L comme Lien	- Développez les occasions de rencontre anciens/jeunes. - Laissez se développer les réseaux informels. - Soyez attentifs aux nouveaux modes de relation à l'intérieur ou à l'extérieur de l'entreprise.
I comme Inventer	- Laissez leur la responsabilité de projets innovants. - Ecoutez leurs idées, ils en ont. - Le rapport d'étonnement à 1 mois, à 3 mois, à 6 mois est un bon exercice. - Apprenez-leur rapidement à cadrer les risques et à gérer les erreurs.
N comme Naturel	- Les notions de développement durable et de citoyenneté sont pour eux autre chose que des gadgets. - Ils ne supportent plus l'injustice, la mesquinerie et le double langage : s'ils partent ailleurs, vous perdez votre investissement.

Deux grilles vierges sont données pour vous permettre d'appliquer la démarche féline aux sujets qui vous concernent directement.

F comme Principe Féminin	- - -
E comme Envie	- - - -
L comme Lien	- - -
I comme Inventer	- - - -
N comme Naturel	- -

F comme Principe Féminin	- - -
E comme Envie	- - - -
L comme Lien	- - -
I comme Inventer	- - - -
N comme Naturel	- -

LOUIS-JEAN
avenue d'Embrun, 05003 GAP cedex
Tél. : 04 92 53 17 00
Dépôt légal : 818 – Novembre 2000
Imprimé en France